Como poeta e místico, o autor nos eleva à presença da Trindade. Como profeta, aponta de forma justa e inteligente os desvios da Igreja, sem partidarismos. Ele mostra-nos uma visão holística da Igreja e sua missão, com orientações indispensáveis para uma espiritualidade verdadeira. Precisamos ler, com o autor, o desenrolar da história da Igreja e compreender, numa perspectiva ampla, o mover do Espírito Santo ao longo dos anos, como expressão da multiforme sabedoria de Deus.

DURVALINA BEZERRA
Diretora do Seminário Betel Brasileiro, em São Paulo (SP)

O diálogo entre as três grandes tradições cristãs — ortodoxa, católica e reformada — é aspiração de muitos. Infelizmente, poucos o praticam, embora as três procedam da mesma fonte e tenham muito em comum. O corpo místico de Cristo, a sua Igreja peregrina neste mundo, nunca esteve tão retalhado, demarcado, loteado e dividido quanto neste começo de terceiro milênio, resultado de rivalidades e antagonismos que nascem não dos evangelhos, mas da defesa intransigente de estruturas de poder, prestígio, dinheiro e outros interesses inconfessáveis. Osmar Ludovico é uma voz que clama no deserto. Pastor de formação reformada, ele consegue dialogar com aqueles que amam e servem a Jesus Cristo independentemente de sua confissão ou filiação eclesiástica como poucos líderes espirituais de sua geração. A prova disso está neste belo *Inspiratio*.

LAURENTINO GOMES
Escritor e jornalista

Conheci Osmar na minha juventude. Em meu mundo agitado, eu me perguntava como alguém podia comunicar tanto usando tão poucas palavras? Os anos se passaram, de ouvinte tornei-me seu amigo e, então, conheci o lugar onde nascem suas "poucas" palavras, verdadeiras sementes de uma nova realidade, um chamado para uma vida serena e profunda. Que alegria saber que essas "poucas" palavras, agora escritas, poderão alcançar um maior número de pessoas, ampliando seu convite para uma vida plena em Cristo Jesus.

ZIEL MACHADO

Vice-reitor do Seminário Servo de Cristo e pastor da Igreja Metodista Livre Nikkei, em São Paulo (SP)

OSMAR LUDOVICO

INSPIRATIO

Copyright © 2017 por Osmar Ludovico
Publicado por Editora Mundo Cristão

Os textos das referências bíblicas foram extraídos da *Nova Versão Transformadora* (NVT), da Editora Mundo Cristão, salvo indicação específica. Usado com permissão da Tyndale House Publishers, Inc. Eventuais destaques nos textos bíblicos e citações em geral referem-se a grifos do autor.

Todos os direitos reservados e protegidos pela Lei nº 9.610, de 19/02/1998.

É expressamente proibida a reprodução total ou parcial deste livro, por quaisquer meios (eletrônicos, mecânicos, fotográficos, gravação e outros), sem prévia autorização, por escrito, da editora.

CIP-Brasil. Catalogação na publicação
Sindicato Nacional dos Editores de Livros, RJ

L975i

    Ludovico, Osmar
    Inspiratio / Osmar Ludovico. - 1. ed. - São Paulo : Mundo Cristão, 2017.
    208 p.; 21 cm

    ISBN 978-85-433-0255-3

    1. Vida cristã. 2. Conduta. 3. Cristianismo. I. Título.

17-44608

                CDD: 248.4
                CDU: 27-584

Categoria: Espiritualidade

Publicado no Brasil com todos os direitos reservados por:
Editora Mundo Cristão
Rua Antônio Carlos Tacconi, 79, São Paulo, SP, Brasil, CEP 04810-020
Telefone: (11) 2127-4147
www.mundocristao.com.br

1ª edição: outubro de 2017

À Isabelle, companheira amada pelos caminhos da vida,
e aos meus queridos filhos, Priscila e Jonathan,
que me ensinam e me inspiram a ser uma pessoa melhor.

Sumário

Agradecimentos	13
Não creio (o anticredo)	15
Apresentação	19
Prefácio	21
Introdução	25

Parte 1
***Divinitatis*: reflexões sobre Deus**

Trindade e *Imago Dei*	31
Amar e ser amado	34
O perdão divino	37
Os magos e o menino Deus	40
Podes levar em paz o teu servo	45
A glória de Deus em Caná e no Calvário	52
Jesus, o pão da vida	55
A vitória sobre a morte	58
O caminho, a verdade e a vida	61
Respostas da intercessão de Cristo	64
O Espírito Santo nos ensina a viver	67

Parte 2
Ecclesia: reflexões sobre a Igreja

Koinonia	73
A Reforma Protestante e a espiritualidade clássica	76
A igreja de todos nós	81
A igreja pentecostal	85
Chamado missionário	88
A igreja e o mercado	91
João Batista e a cultura *gospel*	94
Adoração na igreja evangélica contemporânea	99
Pastores, profetas e poetas	103
Servos em vez de líderes	107

Parte 3
Fides et societas: reflexões sobre fé e sociedade

Fé cristã *versus* religião	113
Cristãos conectados à sociedade	116
Pobreza e riqueza	120
Mamom e Babilônia	124
O aprendizado da liberdade	128
Uma vida mais simples	131
Amor e casamento	134
Um caminho para toda a vida	137
José, exemplo de marido e pai	140
Virilidade e ternura	145
Criação e redenção	148

Parte 4
Spiritus: reflexões sobre espiritualidade

Espiritualidade e vida	153
A voz de Deus	155
Deus faz morada no nosso coração	158
Vida devocional	161

Ascese	164
Sobre o silêncio e a solitude	170
O dom das lágrimas	173
O sofrimento	176
Angústias noturnas	179
Uma caminhada silenciosa	183
Invocação do nome de Jesus	186
Nunca deixem de orar	189
Reaprendendo a orar	192
As bem-aventuranças	195
A criança em nós	201
Só a graça é suficiente	204
Sobre o autor	207

Agradecimentos

Aos meus amigos, parceiros e mestres Ricardo Barbosa, Valdir Steuernagel e Ziel Machado.

Não creio (o anticredo)

Não creio em respostas prontas, estereotipadas e definitivas; mas em um aprendizado constante, num processo sem fim de aprender, desaprender e reaprender.

Não creio em estratégias, modelos ou planos religiosos definidos e reproduzíveis; mas nas surpresas do dia a dia vivido na presença de Deus, no convívio familiar, comunitário e missionário.

Não creio em projetos ministeriais triunfalistas, importados e apostilados; mas no serviço simples, contínuo e discreto em favor dos pobres.

Não creio em técnicas de evangelização; mas na pregação do evangelho o tempo todo com a vida e, quando necessário, usando palavras.

Não creio no barulho, na euforia e na agitação; mas no recolhimento e no silêncio.

Não creio na busca de poder religioso que alimenta ambições pessoais; mas no poder que se aperfeiçoa na fraqueza.

Não creio no que acontece sob os holofotes e é propagandeado; mas no pequeno, no discreto, no gesto simples do cotidiano.

Não creio em lideranças personalistas; mas em servos anônimos que refletem a vida e o caráter de Cristo.

Não creio num evangelho explicativo, argumentativo e teórico; mas no evangelho que perdoa o pecador e o transforma em uma pessoa melhor.

Não creio na linguagem da motivação e da autoajuda religiosa; mas na linguagem da intimidade que encontra espaço para afetividade e confidências.

Não creio na teologia da prosperidade; mas numa teologia que gere quebrantamento, humildade, simplicidade e serviço desinteressado.

Não creio em crentes bonzinhos e certinhos; mas em gente real que erra e se arrepende e não tem vergonha de se apresentar como pecador remido pelo sangue do Cordeiro.

Não creio em oração que busca conforto pessoal; mas em oração que clama por santidade e engajamento por um mundo mais justo.

Não creio em oração gritada em público com o intuito de chamar atenção sobre si; mas na oração no secreto, onde ninguém vê e ninguém sabe.

Não creio em testemunhos, livros e conversas de pessoas vitoriosas em tudo e que nunca erram; mas em pessoas reais que se alegram e se entristecem, que têm virtudes e defeitos.

Não creio em práticas religiosas produzidas pela mente humana; mas naquelas que são fruto de intimidade com Deus.

Não creio em igrejas de classe média voltadas para si mesmas e sem visão social; mas naquelas cujos recursos humanos e financeiros são disponibilizados para missões e para ajuda humanitária.

Não creio que o *marketing* ou a tecnologia trarão o reino de Deus a nós, mas creio em ações concretas na busca da justiça e da paz nas nossas cidades.

Não creio em profecia que gera crentes infantilizados dependentes do profeta; mas em profecia que anuncia o juízo e gera quebrantamento e dependência de Deus.

Não creio nos abraços e nos "eu te amo, meu irmão" instantâneos, induzidos por pregadores; mas em abraços e amizades pessoais vividas no cotidiano.

Não creio que adoração se resume ao "louvorzão" do domingo, dirigido por "levitas"; mas na glorificação de Deus como um estilo de vida de doação e santidade no cotidiano.

Não creio que é possível amar a Deus e não ter amigos; mas em ter vínculos, afetos e amizades que evidenciam um real compromisso com Cristo.

Não creio em discipulado que é mera doutrinação de conceitos e informações corretas; mas no discipulado que gera *metanoia*, arrependimento, mudança interior refletida nos gestos e nas atitudes do dia a dia.

Não creio numa fé mediada pelos sacerdotes e pelo templo; mas tão somente no sangue de Cristo, que possibilita a todos os que creem livre acesso ao trono de Deus.

Não creio que cheguei lá, que já tenho todas as respostas. Sigo aprendendo nesta minha jornada sem volta e sem nunca chegar, uma jornada com Cristo, até Cristo, um caminho no qual prossigo tropegamente, mas animado pelo desejo de me tornar mais parecido com ele.

OSMAR LUDOVICO

Apresentação

Osmar Ludovico é um daqueles autores cujos escritos tocam a alma no mais profundo de sua sensibilidade espiritual. Cada texto seu remete a um recôndito esquecido do ser, a uma reflexão valiosa, ao desejo de mudar atitudes irrefletidas, a uma conexão íntima com Deus na profundidade do coração. Mais do que um escritor, ele é um pensador piedoso, capaz de conectar quem o lê a aspectos constantemente esquecidos pelos cristãos em meio à correria do dia a dia e a uma vida eclesiástica barulhenta e, por vezes, frenética.

Osmar propõe uma caminhada de fé que vai na contramão dos modismos, dos grandes espetáculos, da religiosidade superficial, do que é exuberante, mas vazio. Ele propõe um retorno ao simples, ao silencioso, ao pequeno e ao profundo como o caminho para um encontro sem igual com Deus. *Inspiratio* faz parte dessa proposta.

A igreja de nossos dias se esqueceu, em grande monta, de práticas e valores que foram parte fundamental da vida cristã em séculos passados, como a *lectio divina* e disciplinas espirituais frequentemente associadas somente a um ou outro ramo do cristianismo. Sem dar as costas para as demandas do mundo e do momento em que vivemos, Osmar instiga seus leitores a buscar na espiritualidade clássica meios atuais de encontrar a Trindade Santa em meio aos ruídos da contemporaneidade.

Como filhos da Reforma Protestante, muitos desprezam a contribuição dos santos e doutores da Igreja em movimentos anteriores ao brado reformador do século 16, como a patrística, o monasticismo e a mística medieval. Mas é inegável que a Igreja de Cristo caminhou e gerou frutos preciosos por quinze séculos antes da Reforma e, como o autor bem lembra nas páginas a seguir, o Espírito Santo soprou abundantemente sobre seu povo durante esse tempo. Portanto, não se pode desprezar as lufadas divinas que religaram tantos por tanto tempo ao Criador. E *Inspiratio* proporciona uma lembrança pujante dessa verdade, que precisa ser rememorada constantemente em meio ao ritmo alucinante dos nossos dias e às exigências da espiritualidade contemporânea.

É com alegria que a Editora Mundo Cristão publica esta obra, que, assim como foi com *Meditatio*, chega com o desejo de orientar os passos do leitor por caminhos de simplicidade e reflexão, mas de denso vigor espiritual, a fim de resgatar meios preciosos de conexão com o amor, a presença e o coração divinos.

Boa leitura!

MAURÍCIO ZÁGARI
Editor

Prefácio

Fechei meus olhos e mergulhei no silêncio. Diferentemente das muitas vezes em que fiz o mesmo exercício, repetindo pausadamente expressões como "Senhor, tem piedade de mim", "Em Deus nada me falta", "Sim, Senhor, obrigado, Senhor", desta vez me concentrei em pensar em Osmar Ludovico. Meu coração foi se enchendo de memórias, que me levaram à gratidão e às expressões que lhe servem como um manto: meditação, contemplação e devoção; simplicidade, beleza e graça; comunhão, vínculos e afetos; secreto, silêncio e solitude; mística e oração; caminho e peregrinação, entre outras que vestem todos aqueles que, como ele, buscam a profundidade de uma vida espiritual na comunhão da Trindade.

A primeira vez que ouvi Osmar foi no início dos anos 1990. Sua profecia, que denunciava a espiritualidade luciférica, penetrou meu coração de jovem pastor cuja grande ambição era buscar o sucesso ministerial, apontando um novo caminho e semeando novos sonhos. Desde então, nunca mais deixei de seguir seus passos. O que era no início uma admiração a distância, aos poucos foi se tornando um discipulado anônimo, até se tornar, quase trinta anos depois, uma amizade reverente, em que desfruto também de um dos papéis mais distintivos de sua vida e seu ministério: o de diretor espiritual.

Nada mais apropriado do que *Inspiratio* para dar nome ao seu novo livro. Além de seu sentido mais comum, o termo latino remete também à ideia grega de "entusiasmo", *in + theos*, literalmente "em Deus", o que afirma que a possibilidade humana implica necessariamente não apenas sua origem divina, mas também, e principalmente, o fato de que homens e mulheres existem e subsistem por um poder que lhes é externo e superior e encontram sua plenitude no reencontro com esse mesmo ser, a quem chamamos Deus.

Aqueles que pensam que tal experiência humana se encontra apenas numa espécie de "espiritosfera", longe da realidade histórica e cotidiana, não poderiam estar mais enganados. A espiritualidade cristã é encarnada, desde o *Logos* Eterno que fez sua morada entre homens e mulheres, na carne de Jesus de Nazaré, e depois nos homens e nas mulheres habitados pelo Espírito Santo do Cristo de Deus. As seções que dividem o livro apontam nessa direção.

Divinitatis nos coloca em contato com leituras bíblicas pastorais e devocionais, que levantam o véu para nos permitir entrever a presença divina na trama e na saga humana. *Ecclesia* convida a refletir nas aproximações e nos distanciamentos entre o corpo místico de Cristo e suas manifestações históricas. *Fides et societas* é uma palavra profética com implicações éticas, ao tratar de temas candentes como dinheiro e poder, sexo e casamento, e justiça, assim como uma convocação para a paz. *Spiritus* se atreve a resgatar a ascese, os exercícios de piedade e a espiritualidade que enxerga o mundo com os olhos de uma criança, os mesmos olhos que sabem chorar como somente gente grande é capaz.

Embora visite as afirmações centrais da fé reformada, *Inspiratio* não é teologia dogmática; antes, é uma busca piedosa para responder a perguntas que os teólogos de gabinete pararam de fazer faz tempo, mas que Osmar insiste em afirmar como fundamentais para o discipulado de Cristo:

O que seria a verdadeira espiritualidade cristã? Sob quais condições o relacionamento pessoal com Deus e as demandas do cotidiano podem se encontrar e se tornar o mesmo movimento? Como confluir o mistério de Cristo em nós e os problemas da rotina diária? Como a atividade transcendental da devoção e da oração pode orientar e dar sentido ao imanente, ao concreto, à vida em família, na igreja e na sociedade? Como integrar vida espiritual com o que é existencial, emocional, relacional, social? Como fazer para que a nossa comunhão com Deus torne os gestos simples do cotidiano atos de fé, esperança e amor?

Com extrema alegria, celebro esta obra de Osmar, na qual se pode ver um pouco do seu coração e sua alma devota. Escrevo estas poucas linhas para reforçar o convite que ele mesmo nos faz de nos juntarmos nesse caminho espiritual que celebra "o mistério da vida", num "movimento, uma peregrinação. Sem fim, sem volta, com Cristo, até Cristo".

Ed René Kivitz
Pastor da Igreja Batista da Água Branca,
em São Paulo (SP), e escritor

Introdução

Por que *Inspiratio* como título para este livro? "Inspiração", do latim *inspiratio*, é uma dádiva divina concedida ao homem para criar. Todo o processo criativo de escritores, artistas plásticos e cênicos, compositores e intérpretes depende dessa misteriosa centelha, que ilumina mentes e corações com ideias que se expressam por diferentes formas de criação artística.

Inspiração é também uma atividade do aparelho respiratório; é a ação de levar oxigênio aos pulmões, uma função vital para a vida. Se o coração do bebê já começa a bater ainda no útero de sua mãe, é só quando ele nasce que o ar é inspirado pelos pulmões pela primeira vez. As Escrituras relatam que Deus criou o homem com elementos da terra e soprou nele o folego da vida. Com isso, o homem passou a ser alma vivente.

Inspiração é tudo isto: sopro divino que cria e sustenta a humanidade criada à imagem e semelhança de Deus; é função biológica vital que sustenta a vida; é centelha e lampejo que ilumina mentes e corações e possibilita a criação artística.

Nunca pensei em me tornar um escritor. Tive uma educação limitada, pois não concluí o curso superior. Seria melhor ver-me como um cronista da minha época, pois

26 INSPIRATIO

me parece meio pretensiosa a afirmação de considerar-me um escritor. Shakespeare, Flaubert, Dostoiévski, Jane Austen, Proust, Borges, Machado de Assis, Guimarães Rosa, Virginia Wolf, Clarice Lispector, Saramago e outros são escritores. Suas obras universais, patrimônio da humanidade.

A arte e o processo criativo sempre me atraíram. Sou da geração dos anos 1960, e, em busca de um sentido para a vida, viajei pelo mundo, atraído pelos existencialistas franceses e pela cultura oriental. Foi uma época de viver perigosamente, mas também de descobrir o extraordinário acervo artístico humano, antigo e contemporâneo. A escuta atenta e um olhar prolongado me conduziram a muitas experiências de puro deleite diante da beleza da natureza criada por Deus e das múltiplas expressões artísticas humanas.

Esse foi o meu caminho até chegar ao *Inspiratio*, meu terceiro livro depois de *O caminho do peregrino*, escrito em parceria com Laurentino Gomes, e *Meditatio*. Reconheço quanto dependo dessa centelha, que possibilita que eu me expresse criativamente, para colocar minhas ideias no papel.

Considero que o fruto do meu trabalho escrito depende inteiramente desse sopro divino, que invade meu coração e conduz-me a uma gratidão extasiada diante daquele que me criou à sua imagem e semelhança. Embora eu estivesse rebelado e distante, ele veio ao meu encontro para me salvar e me perdoar.

Por essa razão, debruço-me sobre temas que interessam à alma humana sequiosa por transcendência, pertencimento e sentido existencial. São temas que buscam no sagrado, no divino e no eterno respostas e caminhos para os grandes dilemas humanos.

Respiro fundo, e esse ar que oxigena meus pulmões é pura expressão da graça divina que me mantém vivo na alegria da aventura humana, no serviço ao próximo e no aconchego da minha família e dos meus amigos.

Inspiração é o divino invadindo o humano, é vida que pulsa e vence a morte, é a capacidade para apreciar o belo e recriar com Deus, o autor da vida, o grande e definitivo artista.

Jesus Cristo é a fonte e a origem da inspiração que encontro para prosseguir no caminho da fé, da esperança e do amor.

Solus Christus gloria!

PARTE

1

DIVINITATIS

Reflexões sobre Deus

Trindade e *Imago Dei*

Ao olharmos para o Deus revelado pelas Escrituras, descobrimos que ele é Pai, Filho e Espírito Santo. A Trindade não é algo que se apreende racionalmente, pois encerra um mistério. Por isso, os místicos contemplativos dizem que, quanto mais conhecemos de Deus, mais o vemos como um mistério insondável, diante de quem nos curvamos reverentemente, sem palavras, sem conseguir compreender e explicar completamente. Diante da sacralidade de sua presença, somos permeados pelo que é sublime, inefável, inominável, inescrutável. E a nossa resposta é pasmo, estupefação, deslumbramento, temor que conduz à adoração.

O Pai é Pai porque tem um Filho; o Filho é Filho porque tem um Pai; e o Espírito é Santo porque é o Espírito do Filho e do Pai. São três que se relacionam, voltados uns para os outros com tal intensidade de amor que se interpenetram e se entrelaçam, num eterno e terno abraço de amor.

Deus é um na essência, composto de três que formam uma unidade, sem simbiose. Pelo contrário, quanto mais se amam, mais cada um é ele mesmo, formando uma Trindade. É como se cada um pudesse fazer morada no coração dos outros. Deus é amor porque subsiste nele mesmo, numa harmoniosa relação de três, iguais em poder, majestade, beleza e santidade.

"Façamos o ser humano à nossa imagem; ele será seme-lhante a nós" (Gn 1.26): uma declaração divina no plural indicando uma conversa dos três. Transbordante de amor, a Trindade decide criar um outro, menor, limitado, mas com a mesma capacidade relacional e a mesma vocação para amar. Assim, Deus cria o homem à sua imagem, com sua seme-lhança (*Imago Dei*), e o convida a fazer parte da comunidade divina. Por essa razão, assim ora Jesus Cristo: "Minha oração é que todos eles sejam um, como nós somos um, como tu estás em mim, Pai, e eu estou em ti" (Jo 17.21).

A conversão é o caminho sem volta, ao longo da vida, de desconstrução da ilusão da autonomia e da onipotência, a fim de experimentar o amor da Trindade. O pecado é a exclusão do outro. A vida eterna é entrar e participar da co-munhão eterna do Pai, do Filho e do Espírito Santo.

O verdadeiro amor habita no espaço de um olhar empá-tico, que é capaz de ver o mundo pelos olhos do outro. Amar significa abrir mão da individualidade para entrar na coleti-vidade. A vida se torna mais rica quando conseguimos sair de nosso isolacionismo egoísta, abrir mão das nossas opiniões enrijecidas e penetrar, sem invadir, no coração do outro, a fim de sentir e ver como ele sente e vê. O desamor nos leva a olhar para os outros de cima, enfatizando sempre o erro e a sombra, julgando, discriminando, justificando com nossa humanidade caída, amplificando, acusando e cobrando as pequenas falhas do outro.

Assim, entendemos o grande amor com que fomos ama-dos por Deus. Embora rebelados, ele não nos abandonou. Deus viu nosso pecado e sofrimento e o Filho — enviado pelo Pai e assistido pelo Espírito — encarnou para assumir a nossa humanidade, ver o mundo com nossos olhos, sofrer nossas dores, receber sobre si o nosso pecado e nos reconduzir de volta ao lugar de origem: o espaço eterno do amor divino.

Não há tentação, não há aflição que Cristo não conheça. E é na graça do seu acolhimento que nossos pecados são perdoados e nossas virtudes são afirmadas — não sem um alto custo. A encarnação da Palavra é o esvaziamento de si para assumir uma condição humana e efêmera. Deus saiu dos céus onde estava entronizado no meio do louvor de seus anjos para nascer pobre, numa estrebaria, enfrentar a hostilidade e a maldade humana, sofrer e morrer na cruz.

Numa sociedade que prioriza o material, o individual, o conforto e o "eu", precisamos aprender com Deus que amar tem um custo. Amar significa abrir mão de direitos e privilégios e, esvaziados do nosso antropocentrismo, ir ao encontro do outro para acolhê-lo, amá-lo, compreendê-lo. Ao fazê-lo, celebraremos, juntos, nossas alegrias e lamentaremos nossas aflições.

O Deus da Bíblia é uma eterna amizade de três, que deseja que nos tornemos seus amigos e vivamos como amigos entre nós. Precisamos de uma reforma relacional e de uma conversão de nossos afetos, pois só quem ama conhece o Deus que é amor. O grande desafio da igreja em nossos dias é tornar-se uma comunidade cuja qualidade relacional possa testemunhar, de fato, que Deus está entre nós. Jesus afirmou que seríamos conhecidos como seus discípulos pelo amor, isto é, pela maneira doce e terna com que nos relacionamos.

Para vencer o mal que está em nós e no mundo, só mesmo um amor ainda maior: o amor da Trindade.

Amar e ser amado

É no chão da vida e no cotidiano que percebemos, na nossa vida frágil e efêmera, sinais concretos da eternidade, esse tempo atemporal que desconhecemos. Ao nos ensinar que aquele que guardar a sua Palavra nunca verá a morte (cf. Jo 8.51-59), Jesus não se refere à morte física, mas à morte como um poder irreversível e inevitável que nos conduz ao nada, ao vazio, ao aniquilamento completo da vida.

Na perspectiva cristã, a vida eterna não evita a morte física, mas não fica presa nem é refém dela, uma vez que, depois da morte, vem a ressurreição. A obra que o Filho de Deus realizou em nosso favor inclui a vitória sobre o pecado e a morte.

Guardar a Palavra não significa simplesmente crer numa reta doutrina, se bem que isso também é importante. Significa guardar a Palavra no coração e praticá-la no cotidiano. Devemos ser praticantes da Palavra, e não somente ouvintes, isto é, precisamos viver uma fé relacional, afetiva, encarnada, que se torna gesto e atitude no dia a dia.

A Palavra deixa de ser um conceito a ser explicado, argumentado, discursado, defendido e discutido para se tornar Palavra vivida, demonstrada por meio de uma vida que se assemelha à de Cristo — o homem como todo homem deveria ser. É Palavra que acontece na prática, que deixa de ser discurso correto e articulado para ser Palavra vivida nos embates e nas alegrias da vida humana.

Certo homem perguntou a Jesus o que deveria fazer para herdar a vida eterna. Jesus respondeu com uma afirmação que deixa implícito que a vida eterna é a prática do mandamento maior: o amor. O resumo de toda a Palavra é amar, é se relacionar, é se vincular com laços de afeto e de intimidade com Deus, consigo mesmo e com o próximo. É amando que somos visitados pelo Eterno. A vida eterna já começou para aqueles que amam.

Amamos, no entanto, de forma precária. Como ponto de partida, somos todos analfabetos afetivos. Preferimos nos refugiar nas minúcias da Lei do que empreender o árduo aprendizado de amar desinteressadamente, inclusive quem não merece, perdoar quem nos fere, amar até o fim, sem desistir. Não podemos dizer que amamos como Jesus nos amou, pois amamos de forma imperfeita. Prosseguimos tateando rumo à eternidade, na busca de sermos de tal forma acolhidos no seio da Trindade que nos tornemos um com ela. E, transbordantes desse amor, amemos uns aos outros, vivendo para servir o próximo.

O amor com que amamos nosso próximo é sempre uma pálida resposta ao grande amor com que Deus nos amou. Se amamos é porque ele nos amou primeiro, de modo que não podemos retribuir, com amor incondicional, imerecido, infinito e imutável. Percebemo-nos amados quando reconhecemos a maldade e o pecado no nosso coração e nos colocamos aos pés da cruz. Ali, então, vivenciamos esse amor. Quem nunca chorou de arrependimento ao pé da cruz não conhece a alegria indizível e cheia de glória que invade o nosso coração quando somos acolhidos pelo amor e pelo perdão de Deus. E não somente por isso, mas também por contemplar a cruz vazia, sinal concreto da vitória do Senhor sobre a morte e o pecado.

Amar não é categoria teológica para ser debatida por eruditos na academia. É oferta e convite de Deus a todos os homens, para se tornar experiência do coração e prática relacional e afetiva expressa no gesto simples do cotidiano, permeado de gentileza, doçura, bondade e ternura. Amar gratuitamente, sem cobrar, sem exigir, sem barganhar.

Não podemos amar a Deus concretamente, pois não o vemos. É quando amamos uns aos outros que o amor divino permanece em nós, como nos ensina o apóstolo João. E amar não é só declaração, intenção ou sentimento; é se relacionar, acarinhar, servir, ajudar. É algo que acontece nos vínculos humanos, pois, se alguém disser que ama a Deus, mas não ama os irmãos, é mentiroso. Só podemos amar a Deus por meio do nosso próximo, quando nos relacionamos com bondade, empatia e altruísmo, desejando e fazendo o bem especialmente àqueles que não têm como retribuir: os pobres, os destituídos, os órfãos, as viúvas, os enfermos. Ao fazer isso, nos conectamos ao Deus eterno, Pai de Jesus Cristo, a fonte e a origem de todo amor do Universo.

Quando tangenciamos o amor, o eterno invade nossa frágil e efêmera existência, e suspiramos aliviados, sentindo-nos amados e prontos para amar. E isso basta. A eternidade já começou, já não morreremos mais, pois o amor é mais forte do que os poderes destrutivos da morte.

Somos todos aprendizes. A vida é uma escola para aprender a amar. Somos todos peregrinos, no caminho com Cristo até Cristo, fazendo a jornada que vai do homem caído e rebelde até o ponto em que nos assemelhamos a ele. Estamos em uma jornada da terra ao céu, do efêmero à eternidade, do egoísmo e do individualismo ao amor desinteressado e aos vínculos e afetos.

E Paulo nos adverte, em 1Coríntios 13, que esse aprendizado e essa peregrinação não é baseada em conhecimento ou desempenho religioso, mas sim em amar e ser amado.

A eternidade já começou para esses aprendizes e peregrinos.

O perdão divino

Ao se referir à Trindade Santa, Agostinho disse que o Pai é o amante, o Filho é o amado e o Espírito Santo é o amor. E o traço preponderante daquele que ama é o perdão. Quando digo que creio em Deus, estou dizendo que creio no amor e no perdão.

Não basta afirmar, não basta o discurso da fé; é preciso tornar-me mais parecido com aquele em quem eu creio. Quando nos arrependemos e confessamos, somos perdoados por Deus — só então conseguimos entrar na escola do perdão. É a peregrinação de uma vida, que vai do ressentimento, da amargura e do desejo de vingança ao perdão, à reconciliação, ao amor que não exige perfeição. Perdoamos porque ele nos perdoou primeiro. Aquele que se considera justo e não se vê como pecador não percebe a trave em seu olho, mas enxerga o cisco no olho do outro.

É pelo amor e pelo perdão de Deus que nos percebemos pecadores. Essa dinâmica inevitável no fundo de nossa alma nos conduz a fazer não o bem que desejamos, mas o mal que detestamos. Quando lemos que o Cordeiro "foi morto antes da criação do mundo" (Ap 13.8), significa que o perdão aconteceu antes da criação do Universo. É o perdão que garante a criação. Pensamos que é porque nos arrependemos que somos perdoados, mas é porque já fomos perdoados que nos arrependemos. Fomos amados e perdoados antes da criação do mundo!

As três parábolas do capítulo 15 de Lucas — a da ovelha perdida, a da moeda perdida e a do filho perdido — nos falam da alegria de Deus ao perdoar. São histórias sobre perdão e festa. Elas apresentam um Deus para quem perdoar é motivo de alegria, júbilo e celebração. Os doutores da lei do tempo de Jesus não compreendiam isso. Eles criam num Deus que se alegra no justo, por isso se esforçavam ao máximo para serem justos, liam longamente as Escrituras, viviam orando no templo. Jesus, por sua vez, andava no meio de pecadores e lhes dizia que as prostitutas e os coletores de impostos precederiam os mestres da lei no reino de Deus. Exatamente aquelas pessoas que os religiosos procuravam evitar.

Será que podemos compreender isso? Cristo no meio de pecadores, gente da pior espécie, os discriminados, os excluídos, mas sem acusá-los, sem desprezá-los, convivendo e comendo com eles. Os fariseus não podiam admitir isso! Por essa razão, eles murmuravam e conspiravam. Só é possível compreender e apreciar o perdão de Deus quando nos colocamos ao lado dos pecadores, dos maltrapilhos, dos falidos e dos perdidos. Enquanto nos considerarmos justos, não compreenderemos o perdão divino.

Não há nada comparável à mensagem do evangelho. É o pai que recebe de volta o filho rebelde e devasso. Só compreendemos a mensagem de Jesus Cristo quando percebemos o tamanho do estrago do pecado em nossa vida, para, então, nos curvarmos com reverência e contrição ante a reparação na cruz do Calvário.

Jesus nos questiona: o que é mais fácil, curar o paralítico ou perdoar pecados? Qual das duas ações demanda mais poder? Criar e curar ou perdoar e salvar? Respondemos instintivamente "criar e curar", pois não compreendemos a extensão do perdão. A Trindade criou o homem à sua imagem e semelhança, tomou do barro e soprou o fôlego de vida. Já o perdão demandou a encarnação do Filho e sua morte na cruz. Ou seja, só Deus pode criar vida e perdoar o pecador. O poder de Deus cria, ama e perdoa.

Do perdão nasce o amor. Depois de perdoar a mulher pecadora, Jesus se voltou para o fariseu Simão e disse: "os pecados dela, que são muitos, foram perdoados e, por isso, ela demonstrou muito amor por mim. Mas a pessoa a quem pouco foi perdoado demonstra pouco amor" (Lc 7.47). Isso significa que, quanto mais percebemos o estrago ocasionado pelo pecado na nossa vida, mais amamos aquele que nos perdoa. Por essa razão, não oramos como os fariseus, que agradecem a Deus por serem justos e piedosos e vivem separados dos pecadores. Ao contrário, oramos identificados com a escória do mundo, e quebrantados, com olhos marejados, lançamos um grito angustiado: "Deus, tem misericórdia de mim, pois sou pecador" (Lc 18.13).

Só quem chorou como pecador ao pé da cruz entra na festa do perdão de Deus. Só quem é perdoado verdadeiramente participa do amor e da alegria de Deus e se torna uma pessoa amorosa e perdoadora.

Os magos e o menino Deus

A Bíblia não menciona quantos eram, mas a tradição supõe que fossem três. Eram gentios, magos da Babilônia, terra onde os judeus estiveram cativos quinhentos anos antes. Certamente eram sábios, letrados, nobres, ricos e com conhecimentos de astronomia.

Aqueles homens tinham um desejo principal: o de conhecer o Deus vivo, encarnado no Filho, e adorá-lo, presenteá-lo, exaltá-lo, glorificá-lo e ajoelhar-se diante dele. A fim de alcançar esse objetivo, eles buscaram as informações de que dispunham, que constavam em fragmentos das Escrituras, encontrados possivelmente na biblioteca da Babilônia. A revelação escrita e as profecias messiânicas do Antigo Testamento chamaram a atenção dos magos e, assim, eles souberam que o Messias prometido haveria de nascer em Israel.

Houve um sinal no céu: uma estrela. A astrologia relata um fenômeno extraordinário, ocorrido no ano 7 d.C.: a conjunção de Júpiter com Vênus, que talvez tenha sido o sinal visto por eles. Com base nos relatos das Escrituras e com o discernimento das estrelas, eles seguiram para a Palestina em busca do recém-nascido rei dos judeus. As Escrituras relatam uma relação simbólica entre o Messias e a estrela: ele é a "brilhante estrela da manhã" (Ap 22.16).

Surpreendente maneira de Deus guiar: um fragmento das Escrituras e uma estrela no céu. Uma longa viagem, estimada em 880 quilômetros. Atentos aos detalhes, às Escrituras, ao sinal celeste. A longa viagem, a peregrinação, a vida como desinstalação constante. Os magos são movidos pelo imenso desejo de encontrar o Senhor e, por essa razão, empreendem a cansativa viagem, chegam sem o endereço correto daquele que buscam e se veem obrigados a indagar.

Deus, o Pai, os guiava em direção a um encontro pleno com seu Filho. Assim é a vida: como uma peregrinação. E, sob o olhar e a direção de Deus, seguimos sempre em direção ao Filho. Como os magos, dia após dia, sem desanimar, numa viagem sem volta.

Aqueles homens chegaram a Jerusalém e, como eram nobres, acabaram sendo recebidos por Herodes, que se sentiu ameaçado ao saber que eles vieram para homenagear o Rei, o Ungido prometido aos hebreus. Herodes, então, convocou um conselho de sacerdotes e mestres da lei para descobrir onde nasceria o Messias e foi informado de que seria em Belém. Os líderes religiosos conheciam intelectualmente a Palavra, mas ela não alcança seu coração, sua alma, suas entranhas, seus desejos nem suas emoções. Herodes parecia interessado: "'Vão a Belém e procurem o menino com atenção', disse ele. 'Quando o encontrarem, voltem e digam-me, para que eu vá e também o adore'" (Mt 2.8).

Os magos prosseguiram em sua busca e encontraram um menino. Deus altíssimo, o Criador do Universo é uma criança. Nossa salvação procede de algo tão pequeno e frágil que quase passa despercebido. Nós esperamos o grandioso, o poderoso, o extraordinário, o palco e o holofote. Porém, os magos encontraram um menino, um rebento, um renovo, um brotinho.

Devemos ter os olhos abertos para os pequenos sinais da revelação de Deus. Muitas vezes negligenciamos seus sinais porque os achamos simples e pequenos. A glória de Deus, muitas vezes, está no sorriso de uma criança. O Altíssimo nos visita por meio de um neném. Foi assim com Jesus de Nazaré, o menino que brinca diante dos magos, o jovem anônimo e desconhecido, o pregador rejeitado na sua cidade, o homem despido, pendurado na cruz. O mundo continua gritando suas promessas de felicidade, saturando-nos com mensagens egoístas e desumanizadoras. A promessa de salvação só pode ser percebida por aqueles que enxergam o essencial, o pequeno, o despercebido, o simples.

Vivemos uma época difícil, de injustiças, corrupção, impunidade, drogas, exploração e violência. Ao olharmos para o nascimento de Jesus, o fazemos para aprender com Deus caminhos de paz, amor, justiça e fraternidade. Com o bebê na manjedoura aprendemos valores de vida, família, verdade, alegria e simplicidade. O Natal é uma escola de grandes valores humanos e cristãos; de amor e de vida. Na ocasião, contemplamos Deus feito homem, que abriu mão de seus privilégios e poderes para se fazer frágil, humilde e pequeno e dar sua vida por nós. É a celebração do mistério de Emanuel, Deus conosco, a Palavra que se fez carne.

No Natal somos convidados a resistir aos apelos da euforia do consumo e contemplar o menino com os olhos do coração. Ao vê-lo frágil e envolto em panos na manjedoura, somos confrontados com a imagem habitual que temos de um Deus poderoso, onipotente, onipresente, onisciente, Senhor dos Exércitos. Como essa imagem pode se relacionar com o menino Jesus, Deus feito servo e homem para que, por meio dele, todos tenhamos vida eterna?

Mais do que apenas executar uma tarefa mental, devemos olhar contemplativamente para o mistério do Natal e, como os magos, nos curvarmos respeitosamente diante dele, alegrando-nos e regozijando-nos com Cristo. Conhecer o menino na manjedoura é conhecer outros aspectos desconcertantes da natureza de Deus: seu despojamento, sua humildade, sua doação, sua pobreza voluntária. Com isso, percebemos que ele faz dos despojados, dos humildes, dos que se doam e dos pobres os principais destinatários de sua mensagem redentora.

Contemplar o menino esvaziado de sua glória divina deve interpelar nossa vida. Não podemos querer ser mais que os outros, pensar primeiro no nosso conforto, esquecendo-nos da solidariedade que reparte com o próximo aquilo que temos de melhor. Só o grande amor de Deus demonstrado na manjedoura e na cruz nos ajuda a questionar nossas posturas egoístas e autocentradas, para abrir mão dos privilégios e despojar-nos do acúmulo de bens materiais, a fim de nos tornarmos instrumentos de Deus para abençoar outros.

Podemos acolher a mensagem do Natal para viver como Jesus viveu ou usar o aniversário de Jesus para continuar presos a uma alegria efêmera e fugaz, baseada em comida, bebida e bens supérfluos. Podemos viver com Papai Noel ou com Jesus Cristo. Precisamos descobrir o significado profundo do Deus que desce dos céus para habitar entre nós; que abre mão de seu trono de glória para nascer como um de nós e mergulhar em nosso mundo conturbado. Sendo amor, ele sujeitou-se a não ser amado, não ser acolhido, não ser correspondido.

Que o Senhor Jesus Cristo nasça e viva em nosso coração e, assim, experimentemos sua alegria e seu amor. Que vivamos percebendo e celebrando o maior de todos os presentes da História: a dádiva que o próprio Deus fez do seu Filho para toda a humanidade. E que, com ele, aprendamos que também nós podemos ser uma dádiva para os outros, doando-nos para que este mundo se torne um lugar mais justo e pacífico.

Diante do menino, os magos o adoram, se prostram e entregam presentes: ouro, incenso e mirra; presentes para o verdadeiro rei, o perfeito sacerdote, o supremo e único Salvador. Ali eles tangenciam o divino, o sagrado e o eterno. Que experiência única do encontro com Deus! Simplesmente dobrar os joelhos e adorá-lo.

Os magos são, então, advertidos em sonho para não retornar à presença de Herodes. Eles não devem relatar nada. Torna-se uma experiência profunda seguida de frustração, pois teriam de voltar à sua terra sem alarde, anônimos, na calada da noite, seguindo por outro caminho — um novo caminho. No Natal, os magos conheceram Deus. Após uma experiência profunda, o Senhor os guiou de volta ao seu dia a dia, aparentemente sem proveito imediato ou público. É um retorno ao cotidiano.

Mas, transformados pela experiência do encontro com o menino Deus, aqueles homens carregam na alma e na memória uma provisão que durará para o resto da vida.

Podes levar em paz o teu servo

Em Jerusalém, há um homem que espera. Seu nome é Simeão. Ele aguarda com paciência, pois recebeu de Deus uma promessa. A Bíblia diz que ele era um homem "justo e devoto, [que] esperava ansiosamente pela restauração de Israel. O Espírito Santo estava sobre ele" (Lc 2.25). Se os pastores e os magos foram até Jesus, Simeão ficou em Jerusalém. O homem justo, piedoso, cheio do Espírito Santo, não toma a iniciativa de ir buscar o Cristo, mas aguarda com paciência e esperança e a sua visitação. Essa é a primeira lição que aprendemos com o texto.

Simeão guarda no coração a promessa de que "ele não morreria enquanto não visse o Cristo enviado pelo Senhor" (v. 26). Uma promessa que ele guardou para si, mas que no seu cântico torna-se uma promessa universal: "[...] salvação, que preparaste para todos os povos. Ele é uma luz de revelação às nações e é a glória do teu povo, Israel!" (v. 30-32). Esta é a segunda lição do texto: a promessa de Deus não tem caráter pessoal, não é só para mim, não é algo para se guardar de forma egoísta, é para ser repartida coletivamente. Precisamos saber que a promessa de Deus não é só trabalho, dignidade, salvação, bênção, alegria e saúde para *mim*, mas para *todos*. Não é salvação pessoal; é salvação universal. Assim oramos: o pão nosso de cada dia. *Nosso*.

Simeão está no templo. Maria e José chegam para trazer a oferta do primogênito, conforme prescreve a Torá. Eles levam não um cordeiro, mas um par de rolas ou pombinhos, a opção para os pobres (Lv 12.6). Simeão vê o bebê e diz: "Vi a tua salvação" (Lc 2.30). Como pode Simeão reconhecer o Messias nesse bebê no colo de seus pais no meio de tanta gente que frequenta o templo? A resposta: "O Espírito Santo estava sobre ele e lhe havia revelado [...]. Nesse dia, o Espírito o conduziu ao templo..." (v. 25-27). Esta é a terceira lição: é o Espírito Santo quem nos conduz em direção a Deus, para encontrá-lo além das nossas expectativas e projeções, onde menos esperamos que ele esteja. Deus se revela no bebê nos braços de Maria, uma humilde camponesa, acompanhada de José, um modesto carpinteiro do interior.

Tudo isto está acontecendo no templo de Jerusalém, lugar de prestígio em Israel, mas também contestado e mal falado. Foi Herodes quem o construiu, um rei cruel e que não temia a Deus. Mãos impuras investindo na atividade religiosa, algo constante na história da Igreja. Poder temporal de mãos dadas com poder público para explorar o povo. No templo estão os fariseus, legalistas implacáveis, e toda sorte de comércio; os essênios se recusam a pisar ali; os samaritanos adoram em outro lugar. Ainda assim, é ali que Simeão encontra o Salvador.

Guardadas as proporções, vivemos hoje uma situação parecida. A igreja é contestada, mal falada, tem comércio, legalismo, investimentos e lucros espúrios. Muitos não querem saber de colocar os pés ali. No entanto, Deus se revela a quem ele quer, onde quer. No templo de Jerusalém e na igreja contemporânea, ainda há gente que ali encontra a salvação. Esta é a quarta lição: Deus age onde e como quer a fim de encontrar os seus, inclusive em lugares suspeitos e contestados.

Diz o texto que "Simeão tomou a criança nos braços e louvou a Deus, dizendo: 'Soberano Deus, agora podes levar em paz o teu servo, como prometeste. Vi a tua salvação, que preparaste para todos os povos'" (v. 28-31). Essa fala é uma despedida, que põe fim ao encontro que acabou de começar. É como se Simeão estivesse dizendo: "Está bom assim. Chega. Basta". É estranho pensar que essa foi a primeira expressão a sair dos lábios de Simeão.

O que aconteceu entre o momento em que Simeão toma o menino nos braços e o instante em que ele se despede? O texto diz que ele "louvou a Deus" (v. 28). Foi um louvor curto e silencioso, afetivo, de toque, de olhar. Foi um momento de transcendência, intenso, cheio de emoção muda, uma epifania. Sim, Simeão viveu uma experiência imediata, misteriosa, irreproduzível, indescritível — um louvor sem palavras. Aquela foi uma vivência do "eu" real com o mistério, o sublime, o inefável, o eterno, o divino.

Esse tipo de experiência afeta a consciência, os sentimentos, os sentidos, o corpo; perdemos a noção do tempo e do espaço; ficamos maravilhados, deslumbrados, encantados. Simeão percebe que aquele que ele esperou por toda a sua vida foi ao seu encontro. Por esse motivo, não consegue mais prolongar essa contemplação silenciosa.

O ser humano não consegue suportar ter nos seus braços a Palavra encarnada, o Filho de Deus, o Salvador e Senhor. Ele diz: "Vi a tua salvação". Que olhar é esse? Não é somente um olhar do corpo, mas um olhar do coração, da fé. É um olhar contemplativo. Muitas outras pessoas viram Maria e José entrarem no templo aquele dia, mas Simeão viu algo que se escondia por trás da aparência humana do bebê. Esse é o olhar do coração e da fé. O olhar contemplativo é capaz de ver o que é divino na realidade humana simples do cotidiano. Precisamos ter com urgência esse olhar, para perceber os contornos simples e despercebidos da obra de Deus em nossa vida, na vida do próximo, na vida da igreja, no nosso tempo e na História.

Simeão recebe em seus braços o bebê completamente humano e contempla nele quem Deus é. Esse é o nosso olhar da fé, o olhar do coração, que encontra Jesus Cristo humano e histórico por meio do relato dos evangelhos e vê nele a salvação, a luz e a glória de Deus. Quando isso acontece, experimentamos um momento de transcendência, uma epifania. Surge um louvor silencioso, sem palavras; um momento de deslumbramento. É quando somos tocados no mais fundo de nossa alma pelo amor insondável de Deus, que veio ao nosso encontro como um de nós. Diante do mistério da encarnação da Palavra, ficamos sem chão. E dizemos: "Está bom assim. Chega. Basta. Posso até morrer, pois já vi a tua salvação".

Não é só para mim: é salvação e luz para o mundo todo. A experiência do encontro gera uma visão missionária, promove altruísmo pelo outro, pelo antagônico, pelo invasor, pelo inimigo.

O olhar de Simeão não é só para a criança no seu tempo presente. Ele enxerga também o futuro. Ele, então, se dirige a Maria, a mãe, e diz:

> Este menino está destinado a provocar a queda de muitos em Israel, mas também a ascensão de tantos outros. Foi enviado como sinal de Deus, mas muitos resistirão a ele. Como resultado, serão revelados os pensamentos mais profundos de muitos corações, e você sentirá como se uma espada lhe atravessasse a alma.
>
> Lucas 2.34-35

O olhar de Simeão percebe o drama da cruz, e ele gentilmente diz a Maria que o filho dela seria amado e odiado e teria um final trágico, o que seria muito difícil para ela.

Maria e José não dizem nada, mas o encontro com Simeão desperta no casal o mesmo olhar para o menino. O texto diz: "Os pais de Jesus ficaram admirados com o que se dizia a respeito dele" (v. 33).

Simeão não é o único que esperava o casal e o menino no templo. Deus é a razão da ida daquela família a Jerusalém. É a ele que o casal deseja oferecer um sacrifício, em obediência à Lei mosaica. Podemos, então, dizer que Deus esperava no templo o bebê que José e Maria traziam para apresentar. Mas, quando Maria e José chegam, não é Deus quem os recebe e fala com eles, mas Simeão. O bebê será apresentado ao Senhor, mas é Simeão quem o recebe em seus braços. Simeão torna-se naquele momento a face visível do Senhor.

Deus nos acolhe e fala conosco por meio do outro. Somos acolhidos e acolhemos, ouvimos e falamos como instrumentos de Deus. Este é o significado da comunhão cristã: agimos em nome de Deus, o Pai, como ícones de Deus, o Pai. Esse é, também, o significado da *Imago Dei*, a imagem e semelhança divinas. Deus nos abraça e nos acolhe por intermédio do outro. E os outros são acolhidos e abraçados por nosso intermédio.

Claro que não se trata de tomar o lugar de Deus. Simeão age não para ofuscar ou tirar o Senhor de cena, mas é Deus quem, discretamente, sai de cena e permite a Simeão assumir aquele lugar. Ele honra Simeão, permitindo que a sua experiência de paternidade seja compartilhada com ele. É pelo acolhimento de Simeão que Deus acolhe o menino Jesus e seus pais no templo. Descobrimos com isso que Deus quer compartilhar conosco aquilo que sente. Ele deseja compartilhar conosco sua paternidade. No exercício da paternidade espiritual, nos tornarmos parecidos com o Senhor, ao acolher, abençoar e falar em nome de Deus.

É um privilégio tão grande, uma graça tão extraordinária, uma experiência tão intensa, de que Simeão não quer abusar.

Por essa razão, diz: "agora podes levar em paz o teu servo", isto é, "deixa-me ir embora". Simeão não quer tomar o lugar de Deus, mas se permite vez ou outra ser usado por Deus como seu instrumento.

A partir dessa experiência, Simeão começa a louvar e a abençoar e, em seguida, sai de cena, e não se ouve mais falar dele. Sem essa percepção, muitos pastores, pais espirituais, começam a tomar o lugar de Deus. Tais homens passam a achar que são especiais e acabam tomando o lugar do Senhor na vida de seus filhos espirituais.

Movido pelo Espírito Santo, primeiro Simeão espera silenciosamente, depois contempla o Filho, louva o Pai e abençoa José e Maria. Estamos aqui diante de uma manifestação da Trindade. O mover do Espírito Santo e o silêncio da espera nos conduzem ao Filho para louvar o Pai e abençoar outros. E isso basta; é um chamado para que nós também vivamos assim. Esse é um relato trinitário. Simeão está imerso no mistério da Trindade, um acontecimento extraordinário. Diante de tão grande mistério, diante de uma vivência tão profunda, ele, então, diz: "agora podes levar em paz o teu servo", isto é, "está bem assim, vou-me em paz".

Nós fazemos o contrário. Queremos prolongar a experiência espiritual, por isso criamos um método. Quando Jesus é transfigurado na sua glória eterna, Pedro propõe que façam três tendas, mas Cristo recusa. Em seguida, ele desce para lidar com um homem possesso. A vida contemplativa não é reclusa nem alienada, mas gera genuíno amor pelo próximo e engajamento missionário e social. Sem alardes, sem grandes orçamentos, sem *marketing*.

Os pastores e os magos só têm olhos para o menino. Simeão, que é um contemplativo, se interessa pelos pais e tem uma palavra para eles: "você sentirá como se uma espada lhe atravessasse a alma", ele diz a Maria. Como pai espiritual, ele é capaz de dizer palavras duras que são recebidas como bênçãos. Uma verdadeira vida contemplativa nos torna mais próximos de Deus e, quanto mais próximos dele, mais espaço para os outros surge em nossa vida.

Tudo isso pode parecer extraordinário, incomum, distante do nosso cotidiano. É verdade que em cada encontro com Deus existe uma realidade diferente, que não se pode reproduzir. No entanto, por meio de sua graça, o Espírito Santo foi concedido a cada um de nós. Ele nos conduz ao Cristo vivo e ao Cristo do Livro, o que faz surgir em nossos lábios o louvor e a bênção.

Também nós podemos ser movidos pelo Espírito Santo; basta nos abrirmos a ele, com fé. Também nós podemos acolher Cristo em nossa vida; basta nos abrirmos a ele, com fé. Também nós podemos ser servos do Deus Pai, tornando-nos pais e mães espirituais; basta nos abrirmos a ele, com fé. Precisamos apenas abrir-nos ao Pai, ao Filho e ao Espírito Santo para experimentar no nosso cotidiano, de forma simples e discreta, o encontro com ele, o louvor, a bênção, o olhar para o outro.

Em nossa vida devocional, chamamos o Espírito Santo, lemos a Bíblia para encontrar e acolher o Filho, nosso Senhor e Salvador, e, então, louvamos a Deus. O resultado é ir em direção ao outro, a fim de abençoá-lo com nossos dons, nossos recursos e nossa criatividade. É preciso fazer desse movimento um estilo de vida simples, discreto. Não devemos querer prolongar ou controlar a experiência espiritual. Se dizemos a cada vez "agora podes levar em paz o teu servo", abraçamos o mistério contido na decisão do Senhor de usar vasos quebrados e maltrapilhos como nós.

Agora podes levar em paz o teu servo, está bem assim. Amém.

A glória de Deus em Caná e no Calvário

"Glória", em hebraico, é *kadosh*, que quer dizer "peso", "dignidade", "esplendor". No grego, o termo é *doxa*, que quer dizer "reputação", uma palavra que era também usada secularmente. Vemos a glória de Cristo se manifestar em diferentes episódios do seu ministério terreno. Voltemos os olhos para dois deles: as bodas de Caná e a crucificação no Calvário.

Em Caná, acabou o vinho, símbolo de alegria e festa. Mas Jesus transformou a água em vinho e, com isso, a festa e a alegria continuaram. Com esse milagre, Jesus fez sua glória conhecida por aqueles que souberam o que ele realizou: "Esse sinal em Caná da Galileia foi o primeiro milagre que Jesus fez. Com isso ele manifestou sua glória, e seus discípulos creram nele" (Jo 2.11).

A afirmação de João, de que Cristo em Caná manifestou sua glória, parece desproporcional ao fato em si: um milagre em uma festa de casamento realizada em um pequeno povoado. No Antigo Testamento, a glória de Deus era percebida pelos homens no contexto de manifestações grandiosas, como a abertura do mar Vermelho, o fogo no Sinai, a visita dos anjos a Abraão e a escada de Jacó. Como entender a manifestação da glória de Deus misteriosamente escondida em um acontecimento trivial como uma festa de casamento?

Simples: ali estava o esplendor divino, a irradiação da dignidade de Deus, o peso de sua reputação, a riqueza de sua luz invadindo a história dos homens. Em Caná, a glória de Deus é vista como a alegria dos homens.

O tempo passou e, quando Jesus estava para ser levado à cruz do Calvário, anunciou que ali também haveria glória, ao orar ao Pai: "Pai, chegou a hora. Glorifica teu Filho, para que ele te glorifique" (Jo 17.1). A glória de Deus se manifestou de forma plena em Caná e no Calvário. Na cruz, porém, a glória divina se manifestou para a salvação, a fim de atenuar e reverter os efeitos da queda, do mal, do pecado, da enfermidade, da tristeza e da morte que afligem a humanidade.

A glória de Deus é a alegria dos homens, como demonstrado em Caná, e a salvação deles, como ficou claro no Calvário. Deus é aquele que se doa amorosamente para nos salvar e nos alegrar, que toma sobre si os nossos pecados, as nossas enfermidades e as nossas tristezas. Ele vai até o fim no seu desejo de nos amar e nos livrar do mal. É por isso que em Caná e no Calvário penetramos no mistério da glória de Deus, que nos salva e enche nosso coração de paz e alegria.

Somente por meio do Espírito Santo podemos contemplar a glória divina nessas duas ocasiões, quando houve a manifestação sublime do amor de Deus. Essa doação sem limites do Altíssimo é mais bem compreendida em Caná e no Calvário do que no mar Vermelho e no Sinai, pois percebemos melhor a glória de Deus no seu desejo de que os homens sejam salvos e felizes.

A glória de Deus é seu amor a que não se pode retribuir, que é imerecido e incondicional, que se manifesta quando ele se doa inteiramente em nosso favor, quando ele faz o milagre para a festa não acabar antes da hora, quando ele morre na cruz para nos perdoar e nos salvar. Essa glória consiste em amar a humanidade perdida.

Para os homens, "glória" remete a fama, poder e riqueza. Para Deus, é o oposto: significa esvaziamento, doação e o desejo do bem-estar do outro. Portanto, nós manifestamos a glória divina quando nos abrimos ao milagre de Caná e ao sacrifício da cruz e, assim, nos tornamos pessoas alegres, esperançosas, generosas, perdoadoras e amorosas.

Jesus, o pão da vida

A ceia do Senhor é a celebração de uma mesa cheia de significados e conteúdos existenciais, emocionais e teológicos. Jesus estava à mesa com seus doze discípulos mais próximos, entre eles um traidor, para celebrar a Páscoa judaica — a festa comemorativa da libertação dos hebreus do Egito. Aquela foi uma mesa repleta de emoções, desejos, inquietações, angústias e frustrações, o que nos remete à nossa vida, na qual se misturam dor e alegria, lágrimas e sorrisos.

Pão e vinho na cultura mediterrânea são como feijão e arroz para nós, alimentos que há em toda mesa. Jesus tomou o simples e corriqueiro para estabelecer aquele que seria o seu memorial. Nada de pirâmides, arcos, monumentos ou estátuas majestosas; foi com simplicidade que ele perpetuou a lembrança de seu sacrifício. A mesa, o pão e o vinho nos ensinam a resgatar os gestos simples, mas cheios de significado, como uma refeição com a família, um encontro, um olhar, um sorriso, uma palavra amiga. Na simplicidade, a rotina do dia a dia torna-se permeada de transcendência, significado e afetos.

Simplicidade não significa superficialidade. É por meio dos gestos simples que se revela a profundidade de alguém. Jung chama o "eu" real e verdadeiro de *self*, e as máscaras e os personagens que apresentamos para as demais pessoas, de *persona*. No seu comedimento, o *self* revela as profundezas, sem alardear nem chocar, mas de modo suave, terno, presente, atento, verdadeiro, profundo. Já a *persona* é grandiosa, extravagante, pretensiosa.

Naquela mesa, Jesus disse: "Este é o meu corpo", "Este é o meu sangue". Ali, ele ratificava o que havia dito anteriormente: "Eu sou o pão da vida" (Jo 6.35,48). Sim, ele é o pão que desceu do céu, que sacia a fome da humanidade.

Na ceia, Jesus ofereceu a si mesmo aos seus amigos, enquanto escrevia a história da redenção. É ele o Cordeiro de Deus que, por sua morte na cruz, tira o pecado do mundo. Cristo escolhe a mesa da Páscoa para revelar que Deus não é somente um libertador da opressão e do cativeiro, como foi no êxodo, mas o verdadeiro e definitivo Cordeiro Pascal, que oferta sua vida para nos libertar, de forma completa e radical, da escravidão das nossas paixões equivocadas, dos nossos pecados, de nossa compulsão por fazer o mal.

Mas não é só isso. Aquela mesa projetou um futuro radiante, cheio de esperança. Ali Cristo anunciou que um dia ele retornará e que beberemos e comeremos com ele em um longo, farto e infindável banquete, permeado de amor, paz e justiça. É uma mesa perene, eterna, simples, dramática, íntima, profunda, inclusiva; sinal de um reino sem fim, no qual há pão e vinho na mesa de todos.

Naquela mesa, o Senhor revelou o cerne de sua missão, o propósito fundamental de sua vida, o gesto de generosidade desmedida, o amor incondicional, a terna e doce doação de si mesmo. Ele, o Deus Santo, dando-se vicariamente na cruz a fim de perdoar nossos pecados. Não há maior amor do que esse. Aquela mesa nos conta a história do Emanuel, o Deus conosco, o Deus vivo e verdadeiro que desceu dos céus, encarnou e assumiu sobre si o castigo que nos dá a paz.

É a mesa da generosidade absoluta e definitiva. É a mesa do Senhor que se doou por nós sem qualquer outro motivo que não o amor com que ele nos amou.

Na mesa, Jesus nos chama a assumir uma posição e a tomar uma decisão: "Portanto, examinem-se antes de comer do pão e beber do cálice" (1Co 11.28). Assuma a responsabilidade por sua vida e sua fé. Examine-se com simplicidade, profundidade e generosidade. E, ali, diante do Deus encarnado, redentor, simplesmente aproxime-se e diga: "Venho em resposta ao teu amor para comer e beber contigo...".

Jesus nos convida a perpetuar seu gesto. E a ceia do Senhor é celebrada regularmente por toda a sua Igreja espalhada sobre a terra. É assim que amigos, em torno da mesa com pão e vinho, juntamente com a toalha, a bacia e a cruz de madeira, foram os símbolos que Cristo usou para ensinar as lições mais importantes e preciosas de que o mundo precisa.

A vitória sobre a morte

A Páscoa cristã é a data mais importante do Universo. No relato do que aconteceu em Jerusalém naquela semana, por volta do ano 33, encontramos pistas que nos ajudam a elucidar o mistério da morte, esse poder intransponível que só pode ser revertido por um poder maior.

Debruçamo-nos sobre as Escrituras e caminhamos com Cristo, dia a dia, a fim de encontrar respostas diante do terror do fim da vida. Na quinta-feira, Jesus sabe o que o aguarda, conhece o traidor e se despede lavando os pés dos discípulos. Na sexta-feira, de madrugada, ele chora no Getsêmani, e, em sua angústia, seu suor caía na terra como gotas de sangue. Em seguida, é preso e condenado injustamente, num processo cheio de falhas. A multidão manipulada prefere soltar Barrabás e entregar Jesus à morte. Segue a tortura e o abandono de seus amigos. Finalmente, morte na cruz. Aparentemente, a força da maldade humana, da opressão, da violência, da malignidade civil, religiosa e militar tem a sua vitória.

No sábado, há silêncio, luto, trevas, questionamento, depressão, suspeita, dúvida, desesperança. Nesse dia, os discípulos teriam se perguntado se vale a pena dar a vida por um ideal, a fim de tornar o mundo um lugar melhor. Vale a pena confiar em Deus? Vale a pena fazer o bem? Vale a pena deixar tudo e seguir Jesus?

Dúvidas.

Durante todo o sábado, essas perguntas ficaram sem resposta. Silêncio.

Silêncio em face da dor, da frustração, do avanço irresistível do mal que parece triunfar sobre o bem. Jesus Cristo está morto e sepultado. Mas, no domingo...

Ressurreição!

Um poder maior que a morte se manifesta no túmulo de Cristo. É um poder absoluto, que reverte a morte, a injustiça e a malignidade civil, religiosa, militar e política. Deus dá a palavra final ao Universo: a morte e o mal não prevalecerão. Podemos apostar a vida e seguir Jesus, sabendo que a vida triunfa sobre a morte, o bem triunfa sobre o mal, e o amor triunfa sobre o ódio. Vale a pena confiar em Cristo. Com Jesus, tudo se renova. Podemos começar onde tudo parecia perdido, onde o mal e a morte pareciam ter triunfado. Somos filhos do domingo, e não da sexta-feira ou do sábado.

Os filhos da sexta-feira têm a imagem de um Deus impotente, morto, por isso não têm esperança, a vida não faz sentido. Fazem o que lhes dá na cabeça e pouco se importam com o bem, pois estão aterrados diante do mal que avança no mundo, sem forças para combatê-lo, rendidos a ele. Para os tais, o mal não tem consequências e, por essa razão, eles tornam-se maldosos, apáticos, sem esperança.

Os filhos do sábado têm a imagem de um Deus ausente, que não dá conta, que nos deixa sem respostas e sem consolo. É a ideia de um Deus que frustrou seus sonhos e ideais de recém-convertidos entusiasmados e que, diante do sofrimento e da dor, tornam-se crentes burocráticos, frios, amargos e céticos.

Já os filhos do domingo sabem que Jesus Cristo ressuscitou, que Deus é o vitorioso Senhor da História, que sua palavra é final, que a vida é mais forte que a morte e que o bem prevalece sobre o mal. O poder da vida e do amor de Deus venceu a morte e o mal e, por meio da cruz e da ressurreição, derrotou o diabo, reconciliando o pecador com ele, acolhendo-nos como filhos amados.

Na hora má, na hora do abismo, lembremo-nos de que Jesus ressuscitou. Ao fazê-lo, podemos confiar nossa vida em suas mãos, segui-lo e prosseguir fazendo o bem. Esta é a convicção que está impressa em nosso coração: Cristo ressuscitou!

O caminho, a verdade e a vida

A cada segunda-feira, levantamos pela manhã prontos para mais uma semana de trabalho, cheia de atividades, encontros, compromissos e tarefas. Serão dias cheios pela frente. Como milhões de outros cristãos, participamos, no dia anterior, de uma celebração espiritual. Cantamos, oramos, ouvimos a mensagem da Palavra do Senhor, encontramos gente querida. Logo, porém, abrimos o computador ou ligamos a televisão e as notícias desabam sobre nós como uma correnteza impetuosa.

Em sua maioria, não são notícias boas. Lamentamos os desmandos praticados em nosso país, fazemos comentários assustados sobre o crescimento da violência, preocupamo-nos com o que o dia, a semana, o mês e o ano nos reservam. Oscilamos entre a angústia e a esperança. Tudo o que acontece à nossa volta mexe conosco. Em face das incertezas políticas, da instabilidade econômica e da injustiça social, nos sentimos inseguros e sem horizontes. Esperamos que deixemos de ser o país da impunidade, da ladroagem, da mentira e do caráter dúbio no trato público e privado.

Tudo isso faz o desânimo invadir sorrateiramente a alma. A cabeça dói e recorremos aos analgésicos. Passa a dor de cabeça, mas a irritação e a impaciência tomam conta dos pensamentos, das palavras, das atitudes. Pronto, é o cenário ideal paras brigarmos com alguém.

Chegam outras notícias. Diagnósticos médicos desalentadores. A perda de uma pessoa querida. Tomamos conhecimento de estatísticas crescentes de desemprego, separações e assaltos. Quando pensamos que teremos uma boa semana, percebemos que fomos atropelados pelas circunstâncias. Mas, novamente, recompomo-nos. É vida que segue.

E, nessa gangorra de emoções e sentimentos, ouvimos um murmúrio que brota do fundo da alma. É um sussurro de saudade; saudade daquilo que perdemos ao longo da vida, como amor, respeito, compaixão, capacidade de perdoar, verdade, integridade, bondade, paz, alegria, convívio.

Até encontramos tudo isso, porém tais coisas jazem lá no fundo, sem brilho, sem vigor. São valores anestesiados, adormecidos. Mediante o toque divino, nosso coração quebranta-se, pois percebemos quanto estamos distantes daquele que é a fonte e a origem de tais virtudes. É quando nos damos conta de que estamos diante de uma presença ternamente acolhedora. É tempo de voltar à casa do Pai. Tal qual o filho perdido da parábola de Jesus, iniciamos a jornada de volta. Voltamos arrastando-nos, maltrapilhos e alquebrados, mas arrependidos.

E somos acolhidos por um longo abraço.

É assim que iniciamos a jornada. É a graça que permite essas muitas voltas para o centro de todas as coisas, para a fonte e a origem de tudo. Voltar para o Senhor Jesus Cristo é encontrar a imagem do homem como ele deveria ser. Somos como peregrinos que, no deserto, encontram o oásis que refrigera, restaura e provê descanso. E, recompostos, iniciamos a segunda-feira seguinte cheios de fé, esperança e amor.

Jesus é o caminho, a verdade e a vida. Contudo, nossa relação com ele fraqueja diante da ênfase excessiva na verdade.

A teologia, o estudo e a explicação da fé ocuparam espaço demais na nossa existência e, assim, negligenciamos o caminho e a vida. Sim, temos o livro, amamos o livro, mas não é só isso. A verdade não é uma informação: é uma pessoa.

Quanto mais distantes do caminho e da vida, mais investimos no conhecimento racional da verdade. Porém, que importa o sexo dos anjos? Resta-nos redescobrir a Bíblia como um livro de famílias disfuncionais, um compêndio de biografias de gente como a gente, que adoece, briga, se deprime, mente e sofre — pois esse é o pano de fundo da revelação e da ação de Deus.

O caminho não tem volta. Nem fim. É um caminho com Cristo e até Cristo, sujeito a recaídas e descaminhos, a retornos e recomeços. A vida é a verdade encarnada que acontece no chão da existência, que se traduz no serviço e no cuidado com o próximo e com a comunidade — no gesto simples, terno e virtuoso do cotidiano.

Cristo é o caminho, a verdade e a vida, pois nele contemplamos o humano em toda a sua dignidade e nobreza e também o divino no resplendor da sua beleza e majestade. Um caminho em direção a Deus e à nossa humanidade.

Respostas da intercessão de Cristo

Jesus Cristo tem a primazia na teologia e nas liturgias. Ele é a segunda pessoa da Trindade, o Senhor do Universo, o Alfa e o Ômega, o Deus vivo e verdadeiro que habitou entre nós, perfeitamente Deus e perfeitamente homem. Ele é o Senhor. Todas as coisas foram criadas por ele, o Cordeiro de Deus que tira o pecado do mundo. Jesus senta no mais alto trono, no meio do louvor eterno de seus anjos. Conhecido no mundo todo como um profeta de Deus, ele é amado e cultuado por muitos.

O Novo Testamento fala, no entanto, de um aspecto de sua identidade que compreendemos pouco e, por isso, negligenciamos: Jesus Cristo como nosso intercessor junto ao Pai.

A Palavra de Deus diz: "Quem nos condenará, então? Ninguém, pois Cristo Jesus morreu e ressuscitou e está sentado no lugar de honra, à direita de Deus, intercedendo por nós" (Rm 8.34); "Portanto, ele é capaz de salvar de uma vez por todas aqueles que se aproximam de Deus por meio dele. Ele vive sempre para interceder em favor deles" (Hb 7.25); "Meus filhinhos, escrevo-lhes estas coisas para que vocês não pequem. Se, contudo, alguém pecar, temos um advogado que defende nossa causa diante do Pai: Jesus Cristo, aquele que é justo" (1Jo 2.1).

Neste exato momento, Jesus está à direita do Pai, intercedendo por nós. Por outro lado, o diabo também está presente, algo que não compreendemos muito bem, e ele nos acusa diante de Deus (cf. Jó 1.6-11; Ap 12.10).

Pensamos que a nossa oração é que "tem poder", que faz Deus se mover. E, movidos pela ambição e pelo desejo de conforto, fazemos das nossas orações instrumentos mágicos para que Deus promova nossa felicidade e evite o nosso sofrimento. Como diz Tiago, pedimos mal para esbanjarmos em nossos prazeres. Lucas relata um diálogo entre Jesus e Pedro que lança mais luz sobre esse assunto:

> Então o Senhor disse: "Simão, Simão, Satanás pediu para peneirar cada um de vocês como trigo. Contudo, supliquei em oração por você, Simão, para que sua fé não vacile. Portanto, quando tiver se arrependido e voltado para mim, fortaleça seus irmãos". Pedro disse: "Senhor, estou pronto a ir para a prisão, e até a morrer ao seu lado".
>
> Lucas 22.31-33

Na época apostólica, aqueles que afirmassem sua lealdade a Jesus e se negassem a prestar culto a César seriam punidos com a pena de morte. Diz a tradição que Pedro foi martirizado, mas, por não se achar digno de morrer a mesma morte de seu Senhor, pediu para ser crucificado de cabeça para baixo. Diante do horror da tortura seguida de morte, Jesus diz a Pedro que é a intercessão dele que garantiria a fé e a lealdade de seu discípulo.

Em outras palavras, ele mostra a Pedro que a fé e a oração do apóstolo não dariam conta numa situação-limite como aquela, mas que ele poderia descansar, uma vez que a intercessão de Cristo garantiria sua fé, sua coragem e sua serenidade diante da tortura e da morte.

Lucas também relata, no livro de Atos, o martírio de Estêvão. O texto diz que, no momento de seu apedrejamento, os céus se abrem diante dele e Estêvão vê o Filho do Homem em pé à destra de Deus. Os textos bíblicos que se referem à presença de Jesus nos céus geralmente afirmam que ele está sentado à direita do Pai. Aqui, porém, ele aparece de pé e, eu acredito, intercedendo por Estêvão diante dos seus assassinos. É quando o mártir se põe de joelhos e tem a mesma atitude que Jesus teve na crucificação, ao dizer: "Senhor Jesus, recebe o meu espírito. [...] Senhor, não os culpes por este pecado!" (At 7.59-60).

Podemos nos perguntar qual seria a intercessão que Jesus faz por nós. Possivelmente ele intercede no que se refere a temas muito diferentes dos que costumamos incluir em nossas orações. Ouso dizer que Cristo deseja que sejamos resposta às orações que ele faz diante do Pai em nosso favor. As Escrituras nos dão algumas pistas, quando nos mostram situações em que Jesus afirma desejar nossa santificação, nossa entrega no altar de Deus, nosso amor e nossa lealdade. Ele deseja que sejamos sábios, gratos, generosos, amáveis, verdadeiros e íntegros.

Somos respostas da intercessão de Cristo quando nossas orações saem da esfera do desejo de conforto e prosperidade e entram na dimensão de questões como arrependimento, confissão, entrega, gratidão, louvor, súplicas em favor dos excluídos e sofredores. Entramos em sintonia com a intercessão de Jesus quando nossas orações deixam de ser egocêntricas e se tornam declarações permeadas de confiança, afeto, fé e esperança.

O Espírito Santo nos ensina a viver

O olhar humano vê a *Trindade* como um Deus fragmentado, mas, à luz do Espírito Santo, contemplamos extasiados o mistério da eterna comunhão e da unidade do Pai, do Filho e do Espírito. Muitas vezes percebemos *Deus* como uma força impessoal e distante, mas, aquecidos pelo Espírito Santo, nos relacionamos com um Pai que tem muito de mãe.

Conhecemos racionalmente o *Cristo* histórico do Livro, mas, com o Espírito Santo, o Ressuscitado se torna presente em nosso cotidiano. Sem os afetos e o coração, a *Bíblia* é letra morta, mas, com a iluminação, o Espírito Santo faz-se fonte de vida e de vida transformada.

Achamos que *Pentecostes* é euforia e excitação, mas a verdadeira unção do Espírito Santo gera fruto para santificação e dons para o ministério. Quando movida pela capacidade humana, a *Igreja* é um empreendimento religioso, mas, por meio do Espírito Santo, torna-se a comunhão do povo de Deus em missão.

Somos capazes de produzir *cultos* caprichados e vazios de conteúdo espiritual, mas, quando dependemos do Espírito Santo, eles se tornam celebração comunitária para a glória de Deus.

A *pregação* baseada em técnicas motivacionais impressiona pessoas, mas, quando o Espírito Santo se manifesta do púlpito, a ministração se torna o anúncio de que Jesus veio salvar, perdoar e transformar o pecador.

Existe muita cantoria no *louvor*, mas, quando o Espírito Santo se manifesta, a música se torna adoração reverente e Deus é glorificado.

Alguns dos nossos *grupos de estudo bíblico* produzem somente conhecimento e discussões estéreis, mas, quando inspirados pelo Espírito Santo, geram humildade, serviço, reverência, santidade e comunhão fraterna.

Alguns dos nossos *pastores* mais parecem executivos diante de um empreendimento, mas, quando cheios do Espírito Santo, eles são canais de cuidado, edificação e cura de pessoas. *A liderança* pode ser tornar projeto pessoal de exercício do poder religioso, mas, se o Espírito Santo está presente, é serviço desinteressado e sacrificial ao próximo. *Ministério* pode virar contagem de cabeças e faturamento, mas, quando é dirigido pelo Espírito Santo, lavamos os pés uns dos outros.

Equipes pastorais nas quais os membros são ciosos de seus cargos e benefícios propiciam competição e luta pelo poder, mas, quando inspiradas pelo Espírito Santo, seus integrantes tornam-se servos uns dos outros, companheiros e parceiros de ministério.

É comum a tentação de *fazer discípulos* de nós mesmos, gerando codependência, mas, impulsionados pelo Espírito Santo, apontamos para Cristo e inspiramos outros a segui-lo apaixonadamente. Na ânsia de crescimento numérico, *evangelização* é *marketing* religioso, mas, no poder do Espírito Santo, ela gera arrependimento, conversão e consagração.

Algumas teologias afirmam que a bênção de Deus é a prosperidade financeira, mas o Espírito Santo nos liberta das falsas promessas de Mamom, o *dinheiro*, e nos transforma em pessoas generosas, simples e abençoadoras. Em algumas igrejas, *dízimos e ofertas* alimentam projetos pessoais

O Espírito Santo nos ensina a viver   69

megalomaníacos, mas, quando consagrados pelo Espírito Santo, esses recursos levam o evangelho a regiões não alcançadas, além de dignidade ao pobre e necessitado.

É comum a prática da *oração* que busca poder e conforto material, mas, quando dirigida pelo Espírito Santo, ela faz corações se derramarem na presença de Deus, com ações de graças e consagração. É sábio discernir a *profecia* que manipula pessoas e gera relações de codependência, pois o profeta, quando dirigido pelo Espírito Santo, exorta, consola e edifica.

A *teologia* resultante de uma produção mental é fria e irrelevante, mas, inspirada pelo Espírito Santo, nos faz dobrar os joelhos diante de Deus e conduz à verdade que liberta. Quando resta tão somente a capacidade intelectual, *seminários teológicos* são acadêmicos e técnicos, mas, no poder do Espírito Santo, tornam-se escolas de profetas.

A *santificação* baseada no legalismo é iniquidade travestida de piedade religiosa, mas, movida pelo Espírito Santo, é quebrantamento, resistência ao pecado e prática da virtude. *Vida cristã* pode ser a adoção de um conjunto de leis, tradições e rituais, mas, quando o Espírito Santo se manifesta, é um crescendo de fé, esperança e amor.

Religiosidade gera um *cristianismo* explicativo, argumentativo e dogmático, mas, com o Espírito Santo, a vida de Cristo se manifesta por meio de nossos gestos e de nossas palavras.

Quando a ênfase é na razão, o *coração* fica árido e sedento de transcendência, mas, quando movido pelo Espírito Santo, surge um rio de águas vivas que flui do nosso interior, fertiliza nossa alma e sacia toda nossa sede espiritual, afetiva e existencial. Uma crença numa única reta doutrina gera *cristãos* orgulhosos, donos da verdade e exclusivistas, mas, quando Palavra e Espírito convergem, os discípulos são humildes, quebrantados e abertos para continuar aprendendo.

Quando dependemos das nossas conjunturas, a *alegria* é efêmera e circunstancial, mas a alegria no Espírito Santo é um contentamento que brota do coração, em toda e qualquer situação, e permeia toda a nossa existência.

Agenda lotada torna o *tempo* correria, agitação, desempenho e produtividade, mas, quando o Espírito Santo nos preenche, experimentamos encontros significativos e tempo para descansar.

É comum uma *vida conjugal* rotineira, pesada e conflitiva, mas o casal cheio do Espírito Santo tem seu amor e sua fidelidade renovados dia a dia.

Para uma vida materialista, a *morte* é um final apavorante, mas, quando somos conduzidos pelo Espírito Santo, aceitamos com serenidade que ela é um sono necessário a fim de despertarmos para a vida eterna com Deus.

PARTE

2

ECCLESIA

Reflexões sobre a Igreja

Koinonia

A palavra "comunhão" vem do grego *koinonia*. No âmbito da espiritualidade cristã, a comunhão se dá em duas dimensões: com Deus e de uns com os outros, por meio do Espírito Santo. A comunhão no Espírito é a verdadeira definição de Igreja. A comunhão com o Pai, por intermédio do Espírito de Jesus Cristo, é o que sustenta e viabiliza a comunhão dos cristãos entre si.

A *koinonia* não é o ajuntamento das pessoas de um mesmo contexto social e cultural no ambiente físico do templo. A igreja, hoje, acostumou-se a uma sociabilização agradável e superficial ou, então, ao envolvimento competitivo no ministério em substituição à verdadeira comunhão. Tampouco a *koinonia* é simplesmente uma comunhão mística baseada no fato de pertencermos ao Corpo de Cristo. Para viver a verdadeira *koinonia* bíblica, é necessário tempo, tolerância e amor, para estar presente, conhecer o outro e desenvolver uma real amizade espiritual.

Podemos descrever a comunhão cristã como um encontro de corações e mentes em torno de questões partilhadas de modo peculiar pelos cristãos. Como discípulos de Cristo, temos muito em comum uns com os outros, em aspectos como o amor por Jesus, a gratidão pelo perdão e pela vida

74   INSPIRATIO

eterna, o compromisso com a santificação e o serviço cristão, o interesse pela humanidade perdida e sofredora, as experiências com a graça de Deus e com os dons espirituais, e os testemunhos de vitória sobre nossas tentações. É evidente que podemos conversar sobre assuntos imanentes, como política, economia, arte e esportes. Mas é na dimensão transcendente que os cristãos estão unidos na partilha da fé, da esperança e do amor em Cristo.

A *koinonia* bíblica é, também, a realização histórica da comunhão da Trindade. Jesus orou: "Minha oração é que todos eles sejam um, como nós somos um, como tu estás em mim, Pai, e eu estou em ti. Que eles estejam em nós, para que o mundo creia que tu me enviaste" (Jo 17.21). A comunhão na Igreja é o cumprimento e a resposta dessa oração; é a manifestação no tempo e no espaço da comunhão da Trindade, que é a manifestação visível da realidade invisível da eternidade no céu.

Jesus disse: "Amem uns aos outros. Assim como eu os amei, vocês devem amar uns aos outros. Seu amor uns pelos outros provará ao mundo que são meus discípulos" (Jo 13.34-35). O amor de Deus derramado em nosso coração nos acolhe na sua intimidade. A *koinonia* da Igreja é uma pequena e limitada antecipação, temporal e local, da definitiva comunhão vindoura, celestial e universal.

A comunhão de Deus com os homens é dual: é querer-se e compreender-se. Coração e mente. Amor e comunicação. Afeto e palavra. Jesus percebeu essa dupla realidade e a exprimiu claramente:

Eu os amei como o Pai me amou. Permaneçam no meu amor. Quando vocês obedecem a meus mandamentos, permanecem no meu amor, assim como eu obedeço aos mandamentos de meu Pai e permaneço no amor dele. Eu lhes disse estas coisas para que fiquem repletos da minha alegria. Sim, sua alegria transbordará! Este é meu mandamento: Amem uns aos outros como eu amo vocês. Não existe amor maior do que dar a vida por seus amigos. Vocês serão meus amigos se fizerem o que eu ordeno. Já não os chamo de escravos, pois o senhor não faz confidências a seus escravos. Agora vocês são meus amigos, pois eu lhes disse tudo que o Pai me disse.

João 15.9-15

Jesus nos amou e nos contou quem ele era. Amar e contar. Sentimento e revelação. Em ambos, a recordação do Pai. Seu amor está em todo amor, e seu conhecimento está em todo conhecimento. A comunhão entre os irmãos evoca a presença de Cristo entre seus amigos, carregando em si uma dimensão eterna, como um sinal do sagrado.

A Reforma Protestante e a espiritualidade clássica

A chamada igreja evangélica atual tem origem na Reforma Protestante e, ao longo do tempo, recebeu a contribuição de diversos movimentos, como anabatismo, puritanismo, pietismo, avivamentos do século 18, sociedades missionárias, fundamentalismo, pentecostalismo clássico e missão integral. O conjunto desses movimentos, iniciados com a Reforma, é o que conhecemos como o protestantismo.

Esses movimentos foram sopros do Espírito Santo ao longo da História, intervenções de Deus na realidade humana, com suas instituições e seu poder político e econômico. Nenhum desses movimentos é perfeito, cada um deles tem sua luz e sua sombra. É um equívoco abraçar algum deles incondicionalmente.

É notório que as pessoas têm a tendência de abraçar um desses movimentos como a última e definitiva revelação de Deus e excluir os demais, considerando-os inferiores e até heréticos. Como cada um desses movimentos tem aspectos positivos e negativos, torna-se fácil criticá-los e combatê-los, principalmente porque, geralmente a partir da segunda e da terceira geração depois da visitação de Deus, a tendência é o engessamento e a institucionalização com estruturas de poder.

Ser evangélico, hoje, significa andar nos passos da Reforma e dos demais movimentos legítimos que influenciaram a Igreja de Cristo, seja buscando alguma integração, seja na ênfase de uma só delas. No entanto, não se trata de eleger uma ou outra, mas de discernir o sopro do Espírito que, de tempos em tempos, renova algum aspecto da teologia e da prática de Jesus de Nazaré que foi negligenciado ou esquecido. Trata-se de julgar e reter o que há de bom em cada uma delas e receber com alegria essa preciosa herança, aprendendo com a História e com aqueles que trilharam o caminho da fé, da esperança e do amor antes de nós.

A Reforma aconteceu no século 16. Portanto, a Igreja caminhou por mil e quinhentos anos antes de Lutero divulgar suas 95 teses. Será que podemos aprender algo com esses primeiros quinze séculos de história da Igreja?

Muitos evangélicos esclarecidos dizem que nada se aproveitaria desse período, por considerar essa contribuição como católica romana e achar que não pode vir nada valioso do catolicismo. O fato é que, durante os primeiros mil e quinhentos anos de história da Igreja, o Espírito Santo também soprou. A espiritualidade clássica engloba a contribuição dos santos e doutores da Igreja nos movimentos da patrística, do monasticismo e da mística medieval. Em suma, o vento do Espírito soprou, sim, antes da Reforma.

O que se observa hoje é que alguns protestantes se debruçam sobre a espiritualidade clássica com o desejo de aprender com ela e integrar na experiência evangélica aquilo que ela tem de bom. Evangélicos como Hans Bürki, James Houston, Eugene Peterson, Alister McGrath, Richard Foster e Ricardo Barbosa estão redescobrindo a riqueza da espiritualidade clássica como contribuições vitais para a Igreja de hoje. Católicos contemporâneos também buscam resgatar essa tradição, como Thomas Merton, Henri Nouwen, Anselm Grün e outros. A Comunidade de Taizé fundada pelo reformado irmão Roger, na França, tem alcançado muitos jovens na Europa com sua proposta de reconciliação, integrando o que há de bom nas tradições ortodoxa, católica e reformada.

É uma falácia achar que a Reforma do século 16, apesar de sua importância fundamental, é o único e definitivo mover do Espírito Santo na história da Igreja, e que nada de bom aconteceu nos séculos que a antecederam. Felizmente, para nós, esses antigos movimentos estão documentados e podemos aprender com eles.

É importante saber que a espiritualidade clássica não é um produto. Não é mais uma mercadoria na prateleira religiosa para um mercado ávido por consumir novidades. Trata-se de um olhar mais profundo sobre os conteúdos e a prática da fé cristã, ancorado na experiência com a Palavra e com o Espírito Santo, para vivermos a vida de Cristo em nós.

Tampouco a espiritualidade clássica é uma prática mística, alienante, baseada em técnicas religiosas que produzem sensações agradáveis e felicidade instantânea. Sua ênfase no silêncio, na solitude, na meditação e na contemplação não é um fim em si mesmo, mas um meio para uma vida de santidade e de serviço ao próximo. Com a *lectio divina*, nós, evangélicos, podemos resgatar uma leitura bíblica com o coração.

Embora o monasticismo seja muito mal visto pelos evangélicos, é inegável seu impacto no Ocidente. No século III, após a conversão de Constantino ao cristianismo, que se tornou a religião oficial do Império Romano, homens e mulheres, preocupados com essa aliança do poder temporal com a Igreja, se retiraram para regiões ermas e remotas a fim de orar e ler a Bíblia. Surgiram os mosteiros e as regras, e foi justamente ao redor dos monastérios que floresceu a civilização ocidental: a biblioteca gerou a academia, o espaço do sagrado atraiu artistas, o *ora et labora* desenvolveu tecnologias de cultivo, preparo e conservação de alimentos, e assim por diante. É uma contribuição inegável e preciosa.

O resgate da espiritualidade clássica não busca resultados, a conquista do mundo ou um impacto na Igreja. Ao contrário, ela remete ao simples, ao pequeno, ao fraco. Não é para ser propagandeado, sistematizado, explicado ou reproduzido. Não busca uma recompensa imediata. Não tem como objetivo ganhar nada, mas é um caminho para aqueles que amam o Pai, o Filho e o Espírito Santo e abriram mão do poder, com o desejo exclusivo de crescer na comunhão com Deus, ouvindo sua voz e respondendo com dedicação e consagração.

A multiforme sabedoria de Deus não é uma experiência de conhecimento que pertence a um indivíduo, a um grupo ou a um movimento. Ela engloba o patrimônio de revelação do Criador ao longo da história da Igreja, isto é, as muitas vezes em que o Espírito Santo revitalizou, renovou, corrigiu, avivou e despertou o povo de Deus e o resgatou de seus desvios e acomodações nas três confissões cristãs: ortodoxa, romana e reformada.

Por essa razão, é imperativo vencer o preconceito evangélico que considera que tudo o que é católico é herético e, com isso, rejeita o *Pastor de Hermas* e os escritos e a vida de Clemente, Justino, Inácio de Antioquia, Orígenes, Policarpo, Antão, Bento, Atanásio, João Crisóstomo, Gregório Nazianzeno, Gregório de Nissa, Basílio de Cesareia, Agostinho, Bernardo de Claraval, Hildegard von Bingen, Francisco de Assis, Tomás de Aquino, Catarina de Siena, Inácio de Loyola, Savonarola, João da Cruz, Teresa de Ávila, Bartolomé de las Casas, Madre Teresa de Calcutá e muitos outros. Estou certo de que a leitura dos pais orientais, dos santos místicos e dos doutores do passado, junto com a apreciação do exemplo de sua vida, pode contribuir decisivamente para a igreja do século 21.

E isso, evidentemente, integrado com a contribuição de John Wycliffe, Jan Hus, Lutero, Calvino, Zuínglio, George Fox, John Bunyan, John Knox, Nikolaus von Zinzendorf, John Wesley, Philip Jacob Spener, George Whitefield, Jonathan Edwards, D. L. Moody, William Carey, Hudson Taylor, David Livingstone, Willian Booth, Karl Barth, Dietrich Bonhoeffer, Martin Luther King, John Stott, René Padilla, Samuel Escobar e tantos outros.

Sou um reformado evangélico. Creio nos cinco *solas*. E estou aberto para aprender e integrar a espiritualidade clássica na minha experiência cristã. Aprecio e sou edificado com o que aconteceu em Niceia (325), Monte Cassino (529), Assis (1223), Wittenberg (1517), Westminster (1647), Azusa Street (1905), Medellín (1968), Lausanne (1974), e outros momentos em que o Espírito soprou na história da Igreja. Creio ser importante e promissor o diálogo entre a Reforma Protestante e a espiritualidade clássica, integrando o que é bom nesses movimentos.

Prossigo no meu caminho. Isso implica buscar a intimidade com o Pai, sob a direção da Palavra e a iluminação do Espírito Santo; buscando a santidade de Cristo e, com a Igreja, anunciando o evangelho e servindo aos pobres. E, quando falho, me arrependo, experimento a graça perdoadora e recomeço.

A igreja de todos nós

Ouço muitas críticas à igreja evangélica brasileira. Algumas mais leves, outras mais pesadas. Enquanto alguns acham que vivemos um avivamento, em razão do expressivo crescimento numérico, outros acreditam que vivemos um sério desvio do evangelho, em face do esvaziamento ético e das teologias equivocadas.

Preocupamo-nos em encontrar cristãos sinceros feridos pelo legalismo e por abuso espiritual e também por causa dos escândalos, bizarrices e enriquecimento de lideranças conhecidas. Eu mesmo me percebo crítico e, algumas vezes, participando de conversas contundentes. Pensando em tudo isso, gostaria de tecer cinco considerações a respeito da Igreja:

A Igreja somos todos nós

Olhamos para a instituição e vemos muitos defeitos, o que é normal, pois ela é humana. Perdemos de vista que a Igreja é o povo de Deus e que dela fazem parte todos os que creem em Jesus. É o próprio Espírito Santo quem nos insere no Corpo e nos dá um sentimento de pertencimento. A Igreja somos todos nós, o povo de Deus que se reúne em torno de determinada instituição.

No entanto, no afã de crescer, a instituição relegou a segundo plano a comunhão e a edificação dos discípulos.

82   INSPIRATIO

Em vez de reclamar, criticar e trocar de igreja, hoje temos a oportunidade de ser criativos na busca por projetos eclesiais de formação espiritual que resultem em homens e mulheres transformados, santos, servos e afetivos.

Deus não vai desistir de sua Igreja

É uma história de dois mil anos, com muitas crises e muitos desvios, mas que, apesar disso, sempre manteve um bom testemunho de fé e obediência de um remanescente fiel. Deus nunca desistiu de seu povo, e isso é claro nas Escrituras.

A igreja em Corinto tinha problemas enormes, como divisões, imaturidade, incesto, disputas nos tribunais, impureza sexual, idolatria, bebedeira no culto, dons espirituais usados de forma errada, negação da ressurreição e desobediência. Entretanto, Paulo, em vez de criticar, dirige a ela palavras cheias de bondade: "Por favor, continuem a ser pacientes comigo, pois o cuidado que tenho com vocês vem do próprio Deus. Eu os prometi como noiva pura a um único marido, Cristo" 2Co 11.1-2. Nesta metáfora somos Igreja, a noiva volúvel, leviana, adúltera, e Cristo é o noivo compromissado, que não desiste de seu amor e que se mantém fiel, apesar das nossas traições. Deus não vai desistir da sua Igreja, seja ortodoxa, católica ou reformada.

A Igreja é matéria de fé

O Credo dos Apóstolos, base de fé da Igreja, afirma crer em Deus Pai, em Jesus Cristo, no Espírito Santo, na *Igreja, una, santa, católica e apostólica*, na comunhão dos santos, na remissão dos pecados, na ressurreição do corpo e na vida eterna. Professamos nossa fé crendo que, de Pentecostes até a volta de Jesus Cristo, haverá uma só Igreja, isto é, uma comunhão universal (católica) e local de homens e mulheres que creem no Senhor Jesus Cristo e o adoram.

Essa Igreja una compreende todos os crentes, de todos os tempos e nações, que têm comunhão com o Pai, por meio de Jesus Cristo, e são santificados pelo Espírito Santo. Essa Igreja é invisível, conhecida só por Deus, e se expressa de forma concreta na face da terra localmente pelas diversas tradições cristãs. Nessa Igreja cremos.

A Igreja é a continuação da encarnação de Cristo

Uma das metáforas para a Igreja é a de um corpo, o Corpo de Cristo (cf. Rm 12.4-5; 1Co 12.12-13,27; Ef 4.4-12). O corpo é o meio pelo qual o indivíduo se revela e age. Cristo se revela ao mundo e age nele por meio da Igreja.

É pela presença do Espírito Santo na Igreja que Deus se revela e age no mundo. Os dons distribuídos pelo Espírito Santo são os dons de Cristo no seu ministério. O fruto do Espírito Santo gerado na vida dos crentes é o caráter de Cristo que se manifesta em nossa vida. É por meio da Igreja que a face de Cristo se torna visível ao mundo.

Uma reforma silenciosa está em curso na igreja da periferia

Durante toda a história da Igreja há, em cada geração, testemunhos de obediência e fé. Não poderia ser diferente na nossa época. Esse testemunho não se encontra na igreja que está na mídia, na que investe na conquista e na visibilidade, mas na periferia, no anonimato. São milhares de pequenas igrejas, pastores anônimos e grupos que se encontram em locais variados. Eles são homens e mulheres que buscam Deus apaixonadamente, que leem e se deixam ler pelas Escrituras e que estão crescendo em todas as dimensões da vida: espiritual, emocional, relacional e social.

Esses nunca deixaram de crer na Igreja e de amá-la e, apesar de suas crises e seus desmandos, tais crentes fiéis insistem em permanecer na igreja institucional, visível, em comunhão com o povo de Deus — um ato de fidelidade e humildade.

Existem muitas boas igrejas locais espalhadas pelo mundo. Tenhamos muito cuidado antes de falar mal do Corpo de Cristo. Devemos, isto sim, participar de uma igreja local, perseverar com santidade no serviço comunitário para evangelizar o mundo, edificar a Igreja e socorrer os necessitados, procurando para eles alívio e justiça.

A igreja pentecostal

Antes de me converter a Cristo, nos anos 1970 andei pelos caminhos da contracultura e fui um mochileiro na Europa durante seis anos. De volta ao Brasil, pratiquei atos ilícitos, que me levaram ao cárcere. Foi ali, na Casa de Detenção de São Paulo, que ouvi o evangelho dos lábios de um paciente missionário norte-americano.

Ao me converter, fui acolhido por uma igreja calvinista e estudei numa escola de tradição fundamentalista. Depois do Congresso de Lausanne sobre Evangelização Mundial, em 1974, descobri a Missão Integral e, mais ou menos nessa época, conheci o pedagogo, psicólogo e teólogo suíço Hans Bürki, do Movimento Estudantil, que me introduziu à espiritualidade clássica cristã. Pastorei comunidades independentes em São Paulo, Rio de Janeiro e Curitiba.

Nos últimos quarenta anos, participei de inúmeros congressos e preguei em diferentes igrejas. Ouvi muitos pregadores, no Brasil e no exterior. Conheci uma grande quantidade de pastores. Vi muita novidade importada surgir no cenário evangélico, bem como teologias e estratégias ministeriais. No entanto, participei de muito pouca coisa de cunho pentecostal.

Minha primeira experiência com essa tradição foi desastrosa: fui a uma reunião de oração realizada em um apartamento

86 INSPIRATIO

em Copacabana, no Rio de Janeiro, e fiquei assustado com a gritaria e as profecias que ouvi. Desde então, acompanho a distância a trajetória desse movimento extraordinário que Deus usa e que é o movimento cristão que mais cresce em nossos dias e mais visibilidade ganha ao redor do mundo.

Apesar de ter amigos pentecostais, prefiro uma liturgia mais solene, mas sempre nutri grande respeito e admiração pelo que via e ouvia no movimento pentecostal e carismático. Amo o Espírito Santo e dependo dele, mas sou também crítico quanto às muitas práticas exageradas adotadas pelo movimento neopentecostal, principalmente no que diz respeito às lideranças personalistas, à teologia da prosperidade e à ênfase na batalha espiritual. Assim, pouco participei pessoalmente e concretamente daquilo que Deus realiza por meio desse despertamento espiritual.

Alguns anos atrás, fui convidado, com minha esposa, Isabelle, para sermos preletores de um congresso de pastores pentecostais no Nordeste. Foi uma experiência maravilhosa conviver durante aqueles dias com centenas de homens e mulheres de diferentes rincões do Brasil, movidos pelo desejo de se santificar e servir a Deus. Algumas posturas que presenciei me impactaram.

Primeiro, o *fervor na oração*. Havia estudo sério das Escrituras, mas, quando o povo era convocado a orar, ouvia-se primeiro um murmúrio em direção a um crescendo de vozes, clamores e choros. Alguns orávam de pé, outros ajoelhados, e isso durante um longo tempo. Orou-se muito pela nação brasileira e pela igreja evangélica, com muito fervor, clamando a Deus por misericórdia e um derramamento do Espírito Santo.

Segundo, o *ardor evangelístico*. Todas as ações do congresso, os estudos bíblicos e as orações apontavam para a tarefa prioritária e urgente de pregar o evangelho de Jesus Cristo a todas as criaturas, nos grandes centros urbanos e nas zonas remotas do Brasil, do exterior e em países não alcançados. A missão era, nitidamente, a razão de ser da Igreja. A omissão e o comodismo eram vistos como grandes inimigos.

Terceiro, a *prontidão para servir*. Os participantes, na maioria, eram capacitados e graduados, mas prontos para ir para lugares longínquos, sem conforto, muitas vezes zonas de conflitos armados e doenças endêmicas, a fim de proclamar a graça salvadora de Cristo. Para aquele grupo, estava claro que a opção de servir a Deus incluía sacrifício e renúncia. Ali pouco se falou sobre bênçãos, mas muito se disse sobre doação e compromisso.

Finalmente, testemunhei que eles tinham bem equacionada a questão do *ministério das mulheres*. Nem parecia que eu estava em num país machista como o Brasil e numa tradição evangélica que geralmente dá pouco espaço para as mulheres. Ali, as "missionárias", como eram chamadas, tinham a mesma voz e o mesmo ministério que os homens. E, juntos, apoiados uns nos outros, sem competição, expressavam de forma concreta o reino de Deus.

Saí daquela experiência encorajado. Sei que existe uma igreja pentecostal madura e equilibrada e que está sendo intensamente usada por Deus nesta geração. Seu fervor na oração, seu ardor evangelístico, sua prontidão para servir e o reconhecimento do ministério das mulheres são exemplos a ser seguidos por outros movimentos e igrejas no Brasil.

Chamado missionário

Em um dia futuro, historiadores se debruçarão sobre a história da igreja no Brasil e relatarão que a nossa geração foi testemunha de um profundo mover do Espírito Santo. Mais ainda, eles descobrirão que uma das mais belas páginas dessa história foi escrita por gente anônima e de iniciativas despretensiosas. Refiro-me ao movimento das missões transculturais, nacionais e internacionais.

Em 1987, por ocasião do Congresso Missionário Ibero-americano, realizado em São Paulo (COMIBAM), a igreja brasileira foi desafiada a ser testemunha de Cristo até os confins da terra. Apesar das dificuldades e de outras prioridades, milhares de jovens e cristãos não tão jovens ouviram o chamado para servir a Deus em outros contextos geográficos e culturais. Assim se escreve a história desses heróis anônimos, que deixam família, carreira e são enviados a lugares remotos, onde o evangelho ainda não chegou. Muitos são lugares pobres, violentos, insalubres e onde há guerra e perseguição religiosa. Nesses campos são forjados os nossos missionários, homens e mulheres dedicados a Cristo, prontos a pagar o preço de seu compromisso.

Esses homens e mulheres são o que de melhor a igreja brasileira tem.

Tais irmãos e irmãs são testemunhas vivas da força do evangelho, que move o coração de pessoas de diferentes denominações e cidades brasileiras. Eles se espalham pelo mundo com a mensagem redentora de Cristo, que transforma pessoas, culturas e comunidades. São missionários de caráter irrepreensível, prontidão para obedecer e amar sacrificialmente, que vivem com desprendimento e simplicidade, dependentes da providência divina.

Esses homens e mulheres nunca estiveram na mídia ou ganharam visibilidade. Trabalham em contextos adversos, são rejeitados e enfrentam escassez e doenças, mas, movidos pelo sopro divino, amam os excluídos, os pobres e os povos não alcançados. Identificam-se com eles a ponto de se dedicarem a aprender sua língua e cultura e, obedientes à ordem de Jesus, anunciam as boas-novas da salvação entre aqueles que nunca ouviram a mensagem redentora de Cristo.

Esses missionários entram onde pouquíssimos ousam entrar: aldeias indígenas remotas, núcleos de pequenos grupos étnicos esquecidos, países islâmicos, áreas violentas de periferia e outros antros degradados pela miséria, pela violência e pelas drogas, regiões devastadas por fenômenos naturais. São esses a quem o autor de Hebreus se refere: "Este mundo não era digno deles. Vagaram por desertos e montes, escondendo-se em cavernas e buracos na terra" (Hb 11.38).

A igreja brasileira conta com uma força missionária considerável, embora ainda pequena diante do seu potencial. Essa gente dedicada à missão de proclamar o reino de Deus está presente em quase todos os países do planeta e em quase todos os rincões do Brasil, mas nem sempre é reconhecida e apoiada. São homens e mulheres que se prepararam durante anos, estudando e angariando fundos, para, então, largar família, carreira e sua terra natal a fim de partir para o campo missionário, com recursos financeiros limitados. Muitos são jovens com formação teológica e antropológica; outros, com formação universitária, que atuam como agentes de desenvolvimento.

Todo o povo de Deus deveria conhecer e se envolver nessa página da história da igreja brasileira. Há ainda muito a ser feito. Ao entrar em contato com nossas agências missionárias e com nossos missionários, a fim de apoiá-los, há uma troca vital. Podemos participar dessa empreitada com recursos, orações, acolhimento e suporte pastoral. Por outro lado, tê--los por perto propicia sermos inspirados e desafiados por seu exemplo de vida, desprendimento, dedicação e amor a Cristo e ao próximo.

Se nos envolvermos, abertos ao sopro do Espírito Santo, faremos parte da igreja brasileira que sai da zona de acomodação a fim de servir integralmente na evangelização, no socorro aos necessitados e na capacitação de agentes de transformação social — no Brasil e nos confins da terra. ´

A igreja e o mercado

Vivemos um momento de grande vazio existencial e ideológico no Brasil e no restante do mundo. Há pouca esperança neste planeta destituído de alternativas econômicas justas e sem perspectivas políticas consistentes. A violência nos leva a uma incerteza e a uma insegurança crescentes. Nesse "salve-se quem puder", o mercado e a globalização se tornaram totens sagrados, regidos pela primazia do capital sem pátria e sem ética, e da lógica perversa da exclusão.

Nossa geração vive esse quadro social, caracterizado pelo vazio existencial e espiritual, pela falência dos sonhos e das utopias, pelas privações materiais e pela ausência de parâmetros e valores éticos e morais na família, no Estado, na ciência e nos negócios.

Nesse contexto, o aspecto espiritual surge como um elemento de esperança. O homem contemporâneo se volta para a religião como resposta, alívio e cura para seus males. Surge, então, um "supermercado da fé", com suas prateleiras repletas de produtos: tarô, mapa astral, manuais de autoajuda, esoterismo e antigas e novas religiões ocidentais e orientais. Vivemos um despertamento religioso caracterizado, no entanto, pelas leis do mercado e pela competição. Ganha o cliente aquele que tem a melhor estratégia de *marketing*, as publicidades mais persuasivas, os melhores "produtos".

Infelizmente, a igreja evangélica também caiu na armadilha do mercado. Passamos a apresentar um Jesus atraente, prometemos a salvação nos céus e a prosperidade na terra sem precisar renunciar nada. Palavras e expressões como "cruz", "sacrifício", "pecado", "arrependimento" e "negar a si mesmo" foram substituídas por "decretar", "conquistar" e "saquear". Tornamos nossas igrejas prestadoras de serviços religiosos, com pregadores comunicativos, apoio da mídia, cultos bem produzidos, música atraente e testemunho de convertidos famosos — tudo para segurar os fiéis ariscos, prontos a criticar e mudar de igreja quando contrariados.

A eficiência passou a ser medida não mais pela santidade e pela presença profética, mas pelas leis do mercado, com conceitos contrários ao puro evangelho de Cristo, como produtividade, *performance*, faturamento e profissionalismo. No seu anseio por novidades, a igreja brasileira se tornou refém de técnicas religiosas importadas e apostiladas.

O membro da igreja se tornou um consumidor exigente, que requer serviços de qualidade no louvor, na escola dominical e no púlpito, além de um bom estacionamento e de uma boa programação. Ele não passa de um mero coadjuvante no projeto pessoal do líder carismático que faz a igreja crescer, útil enquanto apoia, colabora, contribui e desempenha — isto é, ele precisa ser alguém produtivo.

Nesse esquema, não há lugar para pessoas questionadoras ou que buscam modelos eclesiásticos mais relacionais e autênticos e menos eufóricos, com mais amor e menos poder. Tudo precisa ser mágico e instantâneo. O pacote teológico e missiológico vem pronto, sem reflexão nem profundidade, sem diálogo com a comunidade e a cultura. E, quando ocorre a ruptura, ela vem da pior maneira possível: há luta pelo poder, com maledicência, traições, expulsões e ressentimentos, que geram divisões e inimizades irreconciliáveis.

Isso explica, de um lado, a migração contínua e constante de muitos crentes, que já estão na terceira ou na quarta igreja desde que se converteram. Por outro lado, nota-se cada vez mais cristãos sinceros e comprometidos, mas feridos e abalados pelos descaminhos da igreja evangélica. Eles permanecem firmes na sua fé, mas não querem participar de nenhuma igreja, preferindo encontros menos formais nas casas, em pequenos grupos.

A tentação do mercado levou a igreja a distorcer os conteúdos da Grande Comissão. Fazer discípulos de Cristo, um processo de nos assemelharmos a ele, tornou-se fazer crentes bem felizes e bem-sucedidos. Batizar em nome do Pai, do Filho e do Espírito Santo tornou-se batizar na cultura denominacional. Ensinar a guardar todas as coisas que Jesus nos ensinou, ou seja, praticar a Palavra, tornou-se ensinar a pedir todas as coisas.

O resultado da religião de mercado é uma crise sem precedentes na liderança da igreja evangélica brasileira. Para aqueles que não se renderam ao mercado resta, muitas vezes, a frustração de seus ministérios diminutos e a culpa pelo lento crescimento das igrejas que pastoreiam. Mesmo celebrando o crescimento numérico, precisamos assumir o lado obscuro da igreja que não gostamos de admitir. Estas linhas nos convidam a olhar amorosamente para nós mesmos: nosso coração, nossas motivações e nossa tentação pelo mercado, o que faz pequenas concessões e nivela por baixo as exigências do discipulado e os conteúdos da Palavra de Deus.

Mais do que nunca, a igreja precisa de homens e mulheres que ousam olhar para dentro de seu coração e confessar suas mazelas. E, assim, confessar os pecados e invocar a misericórdia do Pai para ter a coragem de prosseguir, apesar das falhas, na sublime vocação de santidade e serviço para a qual fomos chamados.

João Batista e a cultura *gospel*

Os dicionários definem "cultura" como o complexo dos padrões de comportamento, das crenças, das instituições e de outros valores espirituais e materiais transmitidos coletivamente e característicos de uma sociedade. De acordo com essa definição, podemos dizer que cultura é um conjunto de valores, costumes e tradições por meio dos quais determinada sociedade exprime sua identidade. Toda cultura humana tem a marca do projeto inicial de Deus, que criou o homem à sua imagem e semelhança, mas também está inserida numa sociedade caída que abandonou Deus e, portanto, expressa aspectos da queda e do pecado.

O acentuado crescimento da igreja evangélica no Brasil fez surgir o que chamaríamos de "cultura *gospel*". Trata-se de um estilo de vida baseado na fé cristã e propagado pela utilização extensiva de estratégias mercadológicas, como utilização intensa da mídia, cultos glamorosos, produções musicais caprichadas, vasta literatura sem profundidade e grandes eventos, como conferências, marchas e outros.

Essa cultura privilegia o personalismo, marcado pela adoção de títulos eclesiásticos como "bispo" e "apóstolo" e articulações para a perpetuação do poder dentro da família dos líderes, com a forte imposição do nepotismo. A cultura *gospel* é marcada por cadeias de sucessão de poder baseadas não no chamado divino ou nos dons pessoais, mas no sobrenome dos sucessores. Igrejas e denominações tornam-se, assim, negócios de família.

A cultura *gospel* é forânea, importada principalmente dos Estados Unidos, a grande meca do mercado religioso. Ela é formada por igrejas que de brasileiras não têm nada, são cópias e imitações de movimentos bem-sucedidos na América do Norte. Não se pode negar que o pacote é atraente. O estilo de culto, o conteúdo das pregações, as músicas, os programas *teen* e *kids*, a teologia fundamentalista... tudo é aceito sem questionamento, sem uma transposição para a cultura brasileira.

O universo *gospel* faz questão de abrir mão dos usos e costumes tradicionais do mundo pentecostal. Anunciam que são iguais a todo mundo, modernos. Usam (ou lançam) roupas de grife, ouvem todo tipo de música e apreciam bom vinho. Do ponto de vista estético, cultural e artístico, a cultura *gospel* tem uma contribuição modesta. Na ânsia de se contextualizar, acaba por ser absorvida pela cultura vigente, com suas bandas de *funk*, *heavy metal* ou pagode, com blocos carnavalescos, *raves*, cruzeiros marítimos e outras excentricidades, como os "nudistas de Cristo".

Para a igreja *gospel*, o importante são os resultados, o número de "convertidos", o faturamento. A liderança desse movimento cedeu aos poucos o lugar dos pastores para executivos vindos das áreas administrativa e de comunicações. É um universo profissionalizado e competente, mas nem sempre ético, conforme temos acompanhado pela imprensa, onde transparecem processos criminais abertos contra pastores e políticos que se apresentam como evangélicos.

Um discurso divorciado da prática redunda num tipo de esquizofrenia espiritual. Na década de 1980, uma série de produções caprichadas invadiram nossa casa pela televisão, com

96 INSPIRATIO

pregações e músicas de televangelistas americanos. Soubemos depois que aqueles senhores compenetrados e que faziam lindos sermões, embalados por músicas sentimentais e que posavam com sua família, eram notórios frequentadores de casas de prostituição e enganadores de velhinhas, de quem extorquiam suas economias.

Na época de Jesus, a revelação feita ao povo de Israel foi deturpada por uma liderança que pensava apenas em seus privilégios. Eram homens que estudavam e seguiam reputados rabinos, liam as Escrituras, oravam de forma ostensiva, frequentavam o templo todos os dias e tinham títulos sacerdotais, mas seu coração estava longe do Senhor. O que contava para eles eram seus projetos pessoais e corporativos e, por isso, sua vida não era transformada pelo poder de Deus.

A resposta a esse procedimento veio de uma "voz que clama no deserto", João Batista (Mt 3.3). Ele era um essênio que se alimentava de mel e gafanhotos, um homem que viveu a solidão e os incômodos do deserto e que encontrou Deus na frustração, na sombra e na indignidade.

João batizou, pregou e pagou com a própria vida o fato de ter denunciado publicamente o pecado do rei. Aquele homem recebeu de Jesus o maior elogio que alguém poderia receber: "de todos os que nasceram de mulher, nenhum é maior que João Batista" (Mt 11.11). O que ele tinha de tão especial para receber tal recomendação de Cristo? Creio que três afirmações de João Batista dão a resposta — afirmações que revelam posturas que precisam ser aprendidas no contexto da cultura *gospel* de nossos dias.

"Vejam! É o Cordeiro de Deus, que tira o pecado do mundo!" (Jo 1.29)

João Batista aponta para Jesus, e não para si. Ele tem seus olhos focados em Cristo; seus gestos, suas atitudes e suas palavras conduzem os interlocutores e aqueles que convivem com ele a quem de fato importa. Suas palavras dizem, simplesmente: "Olhem para ele, vejam quem ele é, percebam sua obra". Aquele era um cordeiro frágil, e não um predador; um mestre discreto, que procurava não chamar atenção. Um cordeiro, e não um leão ou um pavão.

"Ninguém pode receber coisa alguma, a menos que lhe seja concedida do céu." (Jo 3.27)
Esse reconhecimento é fundamental no ministério, pois gera gratidão, humildade e dependência de Deus. Tudo o que somos, fazemos e temos vem de Deus. É a postura de quem sabe que nada acontece por nosso intermédio, mas pela presença do Espírito em nós. Recebemos de graça e de graça damos. Se não tivermos essa verdade gravada em nosso coração, acabamos por nos vangloriar quando Deus nos usa, acreditando mais na nossa capacidade humana do que na graça que nos habilita e ser seus instrumentos.

"Ele deve se tornar cada vez maior, e eu, cada vez menor." (Jo 3.30)
João afirma que sua influência e seu poder pessoais sobre as pessoas devem diminuir e que os de Cristo precisam crescer. É um engano a tentação de que, quão mais poderosos e bem-sucedidos formos, mais a influência de Cristo crescerá. Assim, embarcamos em uma escalada de influência, com base em mídia, *marketing*, métodos, técnica, relações públicas e dinheiro. Quanto mais entusiastas nos tornamos dessas coisas, mais distantes e desconectados do evangelho e da realidade da vida ficamos. No cenário *gospel*, quanto mais os líderes e as instituições crescem, menos Jesus aparece.

Líderes cristãos deveriam olhar para João Batista em busca de inspiração e encorajamento para seu ministério. Num momento em que a igreja busca estrategistas, comunicadores e bons gerentes para a função pastoral, sugiro que olhemos para João Batista como fonte de inspiração e modelo. Proponho que examinemos suas três afirmações a fim de reorientar nossas posturas no ministério.

Precisamos de vozes que clamem em suas experiências do deserto, profetas como João Batista que venham da periferia, e não dos templos e palácios do mercado religioso. Profetas despojados que confrontem os desvios da cultura *gospel* e dos poderes políticos injustos. Precisamos de profetas que apontem para o Cordeiro de Deus que tira o pecado do mundo, que reconheçam que sua capacitação para o ministério vem da unção do Espírito Santo, e não de suas habilidades, que não chamem atenção para si e que estejam dispostos a obter cada vez menos privilégios pessoais.

Adoração na igreja evangélica contemporânea

Há dois tipos de música: a boa e a ruim. Seja ela erudita, MPB, sertaneja, *reggae*, *rap*, *rock*, seja *gospel*. O que me surpreende é a capacidade do mercado de absorver música ruim. Com a proliferação de compositores, intérpretes, bandas e gravadoras, o cenário evangélico conta hoje com muita música boa, mas também muita música ruim.

Passamos séculos louvando a Deus com hinos históricos da Reforma, com letras densas, boa teologia e linha melódica e métrica harmoniosa. Nas últimas décadas, porém, surgiu o que chamamos de louvorzão. Com isso, pusemos de lado os hinários e a liturgia, aposentamos o piano e o coral e introduzimos a guitarra, a bateria, as coreografias e a aeróbica. Surgiu também a figura do dirigente de louvor, responsável por animar a congregação. O resultado é muito barulho, palmas, mãos levantadas, abraços, caretas e cenho franzido. Mas a pergunta é: e a adoração?

O lado positivo do louvorzão é o interesse e a integração na igreja de milhares de jovens que, atraídos pelas bandas e pela euforia dos cultos, enchem os templos. Trata-se de uma oportunidade única para ensinar a esses jovens o caminho do discipulado de Cristo pelo exemplo e pela Palavra. Mas a pergunta é: estarão esses jovens crescendo na santidade e no serviço?

Alguns cultos se tornaram produções dignas da Broadway. Músicos profissionais, cenários, bailarinos e iluminação chegam a rivalizar com *shows* de artistas conhecidos. A ideia é que uma produção caprichada, com intérpretes competentes, gera adoração verdadeira. Mas a pergunta é: toda essa parafernália sonora e cênica tem levado o povo de Deus à genuína adoração?

A história da Igreja é rica em manifestações artísticas. Ao longo do tempo, o louvor foi expresso por meio de representações musicais variadas. O canto gregoriano, o barroco, os hinos da Reforma, o negro *spiritual* e os cânticos contemporâneos deixaram sua contribuição à boa música ao longo dos últimos séculos. Trata-se, portanto, de um equívoco jogar fora toda a herança histórica e achar que a geração mais recente descobriu a forma certa e exclusiva de louvar. Se olharmos do ponto de vista musical, veremos que a história nos legou uma herança preciosa. Na cultura *gospel* do louvorzão há muita música ruim, muita letra questionável e muito dirigente de louvor que mais parece animador de auditório.

A igreja pode ser a ponte entre as gerações, entre o antigo e o novo, e integrar na adoração tudo o que há de bom na sua herança histórica. Tem muita gente já cansada do louvor extravagante, estridente e com letras rasas; de bandas que tocam no último volume; das coreografias esvoaçantes; e das ordens do dirigente para abraçar o irmão que está ao lado e dizer que o amamos sem sequer o conhecermos.

A igreja perde quando o dirigente do louvor, a projeção das letras, a coreografia e os solos de guitarra se tornam mais importantes que o cântico congregacional. Ou seja, quando a ênfase do louvor se desloca da congregação para o palco. Com raras exceções, a música é ruim, a letra não tem nada a ver com a realidade do cotidiano ou o desempenho no palco é apelativo.

ADORAÇÃO NA IGREJA EVANGÉLICA CONTEMPORÂNEA 101

A igreja perde quando se torna parecida com um programa de auditório e não cultiva mais a boa música, feita com belos instrumentos, bons arranjos e corais. Mas a igreja perde mais ainda quando a *performance* se torna um evento estimulado sensorialmente, e não adoração resultante de uma melodia que emerge de um coração quebrantado e temente a Deus. Adoração é sempre uma resposta humilde, alegre e reverente àquilo que Deus é e faz.

A igreja perde quando a reverência e o temor são substituídos por euforia, excitação e sensações prazerosas. É um equívoco pensar que Deus se impressiona com nossos cultos bem produzidos de domingo. Pelo contrário, ele acolhe muito mais nossos gestos simples, frutos de um coração humilde e quebrantado, que busca se desprender de ambições e serve ao próximo com alegria. Adoração não é um evento domingueiro atraente, mas um estilo de vida que glorifica ao Senhor.

Durante séculos, a arquitetura das igrejas e catedrais destinou o balcão anterior para o coro, o órgão e a orquestra. Na igreja da Reforma, os músicos e o coro se posicionavam na parte da frente da nave, mas sempre ao lado. Mesmo o púlpito não estava no centro, mas na lateral. No centro havia, quando muito, alguns símbolos da fé que ajudavam a despertar a consciência para a experiência do sagrado, com destaque para a cruz e a mesa do Senhor. A congregação ficava diante do altar de Deus, sem que nada se interpusesse entre a Santa Presença e a congregação. Esse lugar só pode ser ocupado por Jesus Cristo, o único mediador, o único que pode dirigir o louvor.

Hoje, o que se vê é o "apóstolo", o "bispo", o pastor, o dirigente de louvor e a banda ocuparem esse lugar, o que nos leva de volta às práticas da Antiga Aliança, quando sacerdotes e levitas eram mediadores entre Deus e os homens. A consequênciaé uma geração de crentes que dependem de homens, coreografias e projetores para adorar e ouvir a voz de Deus. Já não se ouve mais o canto congregacional, pois ele é abafado pela música e pelas vozes amplificadas do palco.

O verdadeiro pastoreio consiste em ajudar homens e mulheres a depender do Espírito Santo para seguir Cristo, que os leva ao seio do Pai. Auxiliar os devotos a crescer e amadurecer na fé, na esperança e no amor, integrando adoração, oração e leitura das Escrituras ao seu cotidiano.

A igreja caiu na armadilha da contextualização. Na tentativa de se identificar com o mundo, ela ficou cada vez mais parecida com ele. A cultura *gospel* é autocentrada, materialista, acha-se dona da verdade. Ela tornou-se uma religião que busca a prosperidade dos fiéis, sem lhes pedir que renunciem nada e que se propõe a resolver todos os seus problemas. Há um abismo colossal entre a cultura *gospel* e o evangelho de Cristo, que nos chama a amar sacrificialmente o próximo, a cultivar um estilo de vida simples, a integrar o sofrimento na experiência existencial e a ter a humildade de ser um eterno aprendiz.

Embora muitos acreditem que esse tipo de problema na adoração só exista em igrejas neopentecostais, a realidade é que hoje o encontramos, também, em larga escala, em denominações históricas, consideradas tradicionais.

Pastores, profetas e poetas

Existe na igreja evangélica de nossos dias uma grande preocupação com o desenvolvimento das lideranças, tanto a pastoral quanto a leiga, para o exercício dos diferentes ministérios disponíveis no ambiente eclesiástico. Há uma incontável oferta de livros, seminários, cursos e toda sorte de técnicas religiosas e seculares destinadas ao aprimoramento do potencial de liderança da igreja. Muitos pastores são atraídos por essas ferramentas com a promessa de que elas podem alavancar seu ministério, tornando-o mais eficiente e produtivo e, logo, bem-sucedido.

Damos graças a Deus por isso, pois, hoje, a igreja é mais bem gerenciada e os pastores são mais bem preparados academicamente. Poderíamos dizer que a liderança evangélica se tornou mais "profissional" no seu preparo e em sua competência. Por outro lado, nossos pastores estão cada vez mais parecidos com executivos e têm rotinas iguais às de empreendedores, com agenda cheia, gerentes de planejamento, programas e orçamentos.

Nesse processo, muitos perdem a dimensão do *ser* na excessiva ênfase do *fazer*. Os sermões tornam-se muito mais uma produção mental do que uma experiência do coração. A instituição toma cada vez mais lugar na agenda e pouco tempo resta para família e amigos do peito. Mais e mais, encontramos pastores que vivem duas realidades, uma no púlpito e outra na vida pessoal, o que gera crise vocacional, frustração, depressão, estresse e *burnout*. Gera também conflitos familiares, pois, quando existe conflito entre a agenda da igreja e a da família, geralmente é a família que perde.

Penso que, mais do que nunca, pastores e líderes devem buscar uma vida que prioriza as quatro qualidades essenciais para o exercício de uma liderança espiritual saudável: devoção pessoal; vínculos e afetos; a Palavra que vem do coração; a ética e a cidadania.

Devoção pessoal

O conselho de Jesus para nossa vida de oração é entrar no quarto, sair do público, fechar a porta, deixar as distrações e as atividades do lado de fora e encontrar Deus no secreto, isto é, numa realidade que ninguém sabe e ninguém vê. É estarmos diante dele desarmados, vulneráveis e entregues, simplesmente desfrutando de sua doce, santa e terna presença.

Nesse momento, cientes de nossa limitação e diante da infinitude de Deus, ficamos perante ele em contemplação silenciosa e reverente. A vida de oração se estabelece não pela quantidade de respostas obtidas, mas por quanto desnudamos nossa alma perante Deus e quanto afeto expressamos nas orações. Ele sabe tudo de nós e, mesmo assim, nos ama incondicionalmente.

Vínculos e afetos

Crescimento na vida cristã de um líder não se mede por sua visibilidade, seu desempenho, sua produtividade ou por seu carisma pessoal, mas por quanto mais ele cresce em sabedoria imersa no amor, na doçura e na ternura — sabedoria que emerge de um profundo conhecimento da Bíblia aplicado à sua vida espiritual, existencial, emocional e afetiva.

Desse modo, podemos dizer que o verdadeiro líder cristão é um homem ou uma mulher que vive seus relacionamentos com sabedoria e amor. Primeiro, o relacionamento com Deus, na devoção e no caminhar com ele pelas estradas da vida, que nos conduzem a vales e montanhas. Segundo, o relacionamento consigo mesmo, isto é, o caminho sem fim de trabalhar-se interiormente para reconciliar-se com sua biografia, sua história emocional, seu corpo.

Se de fato temos vínculo com Deus e com nós mesmos, então, certamente, viveremos devotados ao outro, à intimidade, aos afetos; teremos família saudável e amigos com quem podemos contar.

Palavra que vem do coração

Como lemos a Bíblia? É um livro de princípios, doutrinas ou técnicas? Não! A Bíblia nos conta a história de um Deus apaixonado pela humanidade. De Gênesis a Apocalipse vemos seu desejo e seu empenho em nos encontrar a fim de ter comunhão conosco. A Bíblia, poderíamos dizer, é uma coletânea de cartas de amor que contém relatos, biografias e registros históricos da iniciativa do Deus Santo para encontrar o homem perdido.

Quando essas histórias bíblicas encontram a nossa história pessoal, então algo acontece. É quando nos percebemos diante desse amor imenso, imensurável, misterioso, e simplesmente nos entregamos a ele, deixando-nos ser acolhidos e amados pelo Pai. Então, por fim, pregamos a Palavra, com base nessa leitura que nos move cada vez mais para perto de Deus.

Ética e cidadania

Estamos interessados somente em crescer numericamente? Queremos ser uma grande igreja que não provoca impactos na sociedade, cujo projeto social e político resulta em dividendos para si mesma na forma de visibilidade na mídia e cargos públicos?

Mais do que nunca, temos um chamado profético e poético. Profético para denunciar com clareza a corrupção, a injustiça e a violência e procurar alívio e justiça para as vítimas da opressão. Poético para falar com doçura a palavra firme, mas branda, e para protestar com contundência, mas também com leveza.

Dizem as estatísticas que os evangélicos já somam mais de 20% da população brasileira, o que deveria fazer da igreja evangélica um instrumento nas mãos de Deus em prol de um Brasil mais justo e solidário. Mas, infelizmente, não é o que tem ocorrido em larga escala.

Sou de uma geração que já viu muita coisa e que percebe os perigos e os desafios da igreja evangélica brasileira. Quero, no entanto, dar graças ao Senhor pelos pastores e líderes que conheço, que dedicam horas a uma devoção pessoal no secreto e que continuam casados e apaixonados pela mesma mulher. Também agradeço a Deus pela realidade da comunhão de pastores e líderes que desenvolvem seus vínculos de amizade por toda a vida com seus pares, discípulos e mentores.

Também dou graças a Deus pelos mestres espirituais que pastoreiam e ensinam com base nas experiências do coração e pelos profetas e poetas que transmitem uma palavra transformadora. Não são muitos, mas estão por aí. Devemos prestar-lhes reconhecimento e honra e orar por esses homens e mulheres, cujo exemplo dignifica a igreja evangélica brasileira.

Servos em vez de líderes

Existe na igreja uma preocupação muito grande com a capacitação e o treinamento de líderes pastorais e missionários. É uma preocupação legítima, uma vez que muitos pastores e missionários tiveram uma preparação acadêmica e técnica deficiente e também porque, como em todo campo do conhecimento, há a necessidade de atualização e aprofundamento, isto é, de uma educação contínua. No entanto, na maior parte do tempo, os programas de treinamento e capacitação são baseados em técnicas seculares de aprimoramento de habilidades, aumento de desempenho e maximização dos resultados — isto é, em conceitos de mercado. A proposta e a linguagem desses programas são, geralmente, muito distantes do projeto de Jesus de Nazaré.

O resultado é que corremos o risco de ver uma geração de pastores eficientes no domínio de técnicas de influenciar pessoas, gerenciamento, *marketing* e formação de equipes vencedoras, mas com uma vida espiritual precária. O resultado pode ser visto na vida de inúmeros líderes bem-sucedidos na aparência, mas que camuflam suas crises espirituais, existenciais, emocionais, familiares e financeiras atrás do ativismo e de discursos elaborados.

Treinamento de líderes por meio de técnicas é uma ideia secular, muito boa para equipes de vendas, gerentes de negócios e atletas. Mas, no que se refere às Escrituras, o homem de Deus deve ser conhecido como *servo* e, se atentarmos para o ensino de Jesus Cristo, temos de falar de formação de servos por meio do exemplo e da amizade.

Líderes são treinados para serem bem-sucedidos, enquanto servos são treinados para se doarem sacrificialmente e desinteressadamente, com a motivação de servir àquele que os enviou, independentemente de sucesso ou resultados. Essa é uma diferença básica entre os dois conceitos.

A formação dos discípulos de Cristo acontece no campo missionário, nas estradas empoeiradas de Israel, em contato direto com pessoas perdidas e necessitadas, com baixo custo. Já treinamento de líderes acontece, em geral, em ambientes refrigerados de bons hotéis, com apostilas bem preparadas, preletores famosos, projeções bem elaboradas e participantes com seus crachás coloridos e seus *notebooks*. O custo é elevado e o financiamento geralmente vem do exterior. A ênfase é no *fazer*, e não no *ser*. O critério de avaliação pastoral onde há essa visão é a curva de crescimento numérico da igreja e o desempenho do pastor como gerente de bons programas e motivador de pessoas. Isso gera enorme crise de vocação para aqueles que resistem ao modelo do mercado, a igreja de resultados, de rápido crescimento de audiência e faturamento.

Mesmo assim, tenho grande respeito por homens e instituições que se dedicam a treinar líderes no contexto da igreja evangélica. Gostaria muito de vê-los integrando mais a dimensão espiritual, pois muitos dos nossos pastores já não sabem mais ler a Bíblia devocionalmente e tampouco orar para se relacionar intimamente com Deus. E, tendo chegado onde estão, já não sentem mais a necessidade de continuar crescendo na dimensão da transformação do caráter, por meio do quebrantamento e da confissão. Tornam-se pessoas isoladas, sem amigos do coração, resistentes à exortação e rodeados de seguidores deslumbrados e bajuladores.

Carecemos de pessoas e instituições que se dediquem a ajudar homens e mulheres separados para o ministério a resgatar o sentido de vocação, da intimidade com Deus por meio da leitura bíblica e da oração, e a andar na contramão, resistindo às tentações e ao fascínio das técnicas seculares de liderança. Que o Senhor tenha misericórdia de nós e nos ajude a discernir a diferença entre o cristianismo que gera homens e mulheres que buscam servir com santidade e sacrifício e o sistema que gera líderes religiosos vaidosos, ambiciosos e endinheirados.

PARTE

3

FIDES ET SOCIETAS

Reflexões sobre fé e sociedade

Fé cristã *versus* religião

Muita gente confunde a fé cristã com uma religião institucionalizada, formal e hierárquica. Isso aconteceu ao longo da história da Igreja e continua acontecendo em nossos dias.

Uma fé baseada em dogmas, sacerdotes e rituais surge na contramão da livre caminhada de Cristo com seus discípulos. A religião acontece em Jerusalém, é coreografada, paramentada e depende de templo, sacerdotes, levitas e escribas. Ao redor estão os mercadores da fé, com toda sorte de comércio religioso. Jesus e seus discípulos caminham na periferia, misturados a gente comum, anônima. Cristo anuncia o reino de Deus e usa poucas palavras, mas suas ações e seus gestos testemunham que nele podemos ver Deus como ele é e o homem como deveria ser.

A religião do templo gera relações de codependência: o fiel precisa da palavra e da intercessão do sacerdote, e este, por sua vez, precisa da oferta material do fiel para manter os salários e a pompa do aparato religioso. A religião, com seus dogmas e programas, infantiliza, pois se torna a mediadora da graça de Deus, porta-voz de sua Palavra. Os líderes passam a ser vistos como aqueles que têm acesso privilegiado ao trono de Deus.

Jesus, no entanto, nos chama para sermos seus discípulos, por meio do Espírito Santo, que caminha conosco não pelo piso brilhante dos templos e dos palácios, mas pelas estradas empoeiradas onde a vida acontece. As prerrogativas do discipulado não têm a ver com frequência a cultos ou membresia de igreja, mas com deixar tudo para segui-lo apaixonadamente pelos caminhos da obediência, da comunidade fraterna e da missão.

A religião é rígida, autocentrada, dona da verdade, exclusivista, sectária, preconceituosa e tem a si mesma como referência. Na religião acontecem as divisões, baseadas num conceito equivocado de pureza teológica, que mascara a dificuldade de submissão mútua e cooperação entre os líderes. Na religião os projetos pessoais de poder se sobrepõem ao projeto do reino de Deus, com práticas reprováveis como o nepotismo eclesiástico e o trato com os liderados segundo a conveniência do líder.

A fé cristã é a aventura de seguir Jesus sem grandes garantias, confiando plenamente na sua provisão. É buscar a comunhão com o Pai pela mediação do Filho e da iluminação do Espírito Santo. É viver em comunhão fraterna, aberta ao estrangeiro, ao órfão e à viúva. É fazer o bem sem esperar reciprocidade. É amar e servir.

Na religião temos certezas e nos acomodamos no fato de que somos convertidos. Já está tudo revelado e sabemos tudo, perdemos a humildade que propicia um aprendizado contínuo, sem nunca nos apossarmos de toda a verdade e de toda a pessoa de Deus. A religião dogmatiza a verdade e crê muito mais na sua reta doutrina do que na pessoa viva do Senhor e Salvador Jesus Cristo.

Para os discípulos do Caminho, basta o Credo dos Apóstolos para fazer a sua confissão de fé. Eles sabem que a verdade não é uma declaração de fé teologicamente correta, mas que a verdade é uma pessoa, é encarnada no Cristo ressurreto que habita em nosso coração.

A fé cristã nos leva a uma relação pessoal com Deus, a um caminho de descoberta do divino mediante a escuta de sua voz nas Escrituras e do estabelecimento de uma amizade com ele por meio da oração. Esse é um caminho sem fim, pois sabemos que, quanto mais o conhecemos, mais contemplamos o seu mistério, pois estamos diante do inominável, do inescrutável, do insondável, do inefável. Sabemos que as palavras não o alcançam e que Deus é apreciado com mais profundidade no silêncio reverente e contemplativo.

A fé cristã nos leva a confiar e depender de Deus cotidianamente, por saber que a conversão é um processo que dura a vida toda, pois nos santificamos gradativamente, dia a dia. A fé cristã liberta do aparato religioso e da arrogância espiritual. A religião frequentemente faz uso do *marketing* e de outras técnicas seculares para continuar crescendo numericamente, e muitas vezes faz uso de um poder autoritário ou manipulativo para garantir a coesão e o patrimônio. A fé cristã prega e vive o arrependimento e a consagração da vida no altar de Deus.

Somos multidão no templo, dependendo dos sacerdotes, do aparato e do mercado religioso, ou discípulos, que seguem Jesus Cristo desfrutando de sua amizade e buscando ser como ele é?

Cristãos conectados à sociedade

O mundo caótico e injusto em que vivemos exige de nós, cristãos, reflexões e ações para dentro e para fora da igreja que nos conectem à sociedade. Nesse sentido, acredito que deveríamos seguir uma agenda de atuação bem clara, de acordo com o momento histórico em que vivemos, expressa em um manifesto bem transparente e objetivo.

Precisamos afirmar para a sociedade brasileira cinco pontos essenciais:

Nós, cristãos, cremos na sacralidade da vida
Homem e mulher foram criados à imagem de Deus (Gn 1.27), isto é, ambos têm origem e características divinas (*Imago Dei*). O relato de Gênesis revela que a humanidade abandonou o relacionamento privilegiado que mantinha com o Criador; no entanto, continua sendo objeto do amor divino, como demonstrado historicamente pela morte de Cristo em nosso favor.

A lei de Deus diz que não podemos matar e nos insta a amar uns aos outros. A vida humana é sagrada, e, quando crianças, jovens, adultos e idosos são discriminados e sofrem qualquer violência, trata-se de uma afronta direta a Deus.

Por essa razão, apoiaremos todas as iniciativas públicas e privadas que promovam a vida e deem condições dignas aos brasileiros.

Nós, cristãos, afirmamos a necessidade de justiça

Salmos afirma: "Justiça e retidão são os alicerces do teu trono, amor e verdade vão à tua frente" (Sl 89.14). Assim, reafirmamos os princípios básicos do direito que especificam a inocência de todos até que se prove o contrário. A lei obrigatoriamente tem de ouvir antes de condenar, proceder com base em um inquérito rigoroso e imparcial e dar o veredicto só depois do julgamento. Porém, assistimos, estarrecidos, a inocentes serem condenados por denúncias infundadas e criminosos que conseguem imunidade e impunidade. Há poderes econômicos e políticos a serviço de toda sorte de manipulação e corrupção jurídica, o que gera impunidade. Não se pode construir um país sem justiça, equidade e direito.

Nós, cristãos, queremos justiça para políticos corruptos, policiais desonestos, assassinos, grupos de extermínio, narcotraficantes, criminosos de colarinho branco e qualquer outra pessoa que descumpra a lei. Para tanto, exortamos os homens de bem, cristãos ou não, a recusar suborno e agir com equidade e justiça.

Por essa razão, apoiaremos todas as iniciativas de moralização do aparato político e jurídico no Brasil.

Nós, cristãos, cremos na justiça divina

As Escrituras afirmam enfaticamente os termos da justiça divina e a inevitabilidade do comparecimento de todos os homens diante do juízo de Deus, que condenará todas as situações de idolatria, injustiça, opressão, imoralidade, usura, corrupção e falta de solidariedade com os destituídos, necessitados e oprimidos. Não existem indivíduos, estruturas e poderes temporais ou espirituais que não estejam sujeitos ao juízo final. Muitos escapam da justiça humana e, em um sistema iníquo, os poderosos se servem do poder econômico para obter a impunidade dos seus crimes. Sabemos, no entanto, que todos os homens comparecerão diante do trono de Deus para receber a paga de seus atos na eternidade.

Nós, cristãos, cremos no poder transformador do evangelho

O evangelho de Jesus Cristo tem poder para transformar o coração do homem, dando-lhe parâmetros e motivação para um engajamento sério na busca por justiça, paz e retidão moral. Homens transformados por Cristo podem ser instrumentos de transformação de estruturas e sistemas iníquos. O evangelho em que cremos afirma que todos os homens pecaram e, por essa razão, Deus enviou seu Filho, Jesus, para morrer na cruz e, assim, oferecer salvação e vida nova a todos os que nele crerem.

Nosso compromisso maior é com a propagação dessas boas-novas, pois almejamos que, tocadas pelo amor de Deus, nossas elites e lideranças se arrependam, se convertam e restituam o dinheiro desviado, doando parte de sua fortuna aos pobres (Lc 19.2-10).

Nós, cristãos, cremos na restauração final de todas as coisas

As Escrituras nos asseguram que a História caminha de forma irreversível para o domínio de Jesus Cristo sobre toda a criação. Sim, o seu reino de justiça e paz já está entre nós e virá de forma definitiva no fim dos tempos. Por essa razão, olhamos para a ressurreição de Cristo como o acontecimento mais importante da História, pois, naquele momento, Deus demonstrou que o pecado e a morte não prevaleceriam.

Enquanto aguardamos a vinda do Senhor, quando o mal será vencido de forma completa e todos ressuscitarão para a vida eterna, atuamos no mundo como cidadãos cristãos cheios de esperança e como portadores da mensagem do reino de Deus, que virá de forma definitiva e eterna. Queremos, como cristãos, ser parte dessa restauração e experimentar aqui e agora sinais de justiça e paz entre os brasileiros.

Pobreza e riqueza

Jesus nasceu em uma estrebaria de uma aldeia obscura, na periferia do Império Romano. Era filho de gente muito humilde e seu berço foi uma manjedoura, objeto rústico em que se dava de comer aos animais. Quando seus pais o levaram ao templo de Jerusalém, ofereceram apenas dois pássaros pequenos em sacrifício, oferta estipulada pela Lei mosaica para pessoas com poucos recursos financeiros. Por algum tempo, ainda bebê ele teve de deixar o lar e viveu como refugiado em terra estrangeira por causa de um decreto real que mandava matar todas as crianças com menos de 2 anos.

Jesus foi criado em outra aldeia humilde, na casa de seu pai, um carpinteiro. Quando chegou à idade adulta, afirmou que não tinha onde recostar a cabeça. Quando completou 30 anos, tornou-se pregador itinerante, viajando pelo país com seus doze discípulos. Foi, então, falsamente acusado e injustamente condenado. Seus amigos o abandonaram. Depois de torturado, foi crucificado entre dois ladrões. Quando morreu, aos 33 anos, foi sepultado de favor no túmulo de um homem bondoso.

Sua história de vida mostra que Jesus Cristo foi pobre em termos materiais, uma pobreza que ele assumiu voluntariamente, movido por amor. Ele era rico, mas fez-se pobre, numa expressão concreta de sua identificação com a humanidade.

É tempo de os cristãos dos grandes centros urbanos se arrependerem de usar Deus para satisfazer sua ambição material e aprenderem a viver com simplicidade e generosidade, ajudando aqueles que não têm o suficiente para a subsistência diária. É muito comum ouvirmos testemunhos de pessoas que dizem que, graças a um posicionamento diante de Deus, conseguiram carros novos, compraram uma mansão, tiveram o salário triplicado. Tais pessoas "aceitaram Jesus" e aderiram a determinada igreja e afirmam que, em razão disso, prosperaram materialmente. Curiosamente, nunca ouvi alguém testemunhar que se converteu e decidiu dar uma parte de seus bens aos pobres e para missões.

Muitos cristãos urbanos de classe média estão imersos numa estrutura consumista, alienados da realidade do sofrimento de milhares de brasileiros. Eles pensam em si e no que é seu e confundem Deus com Mamom, o "deus dinheiro". Mamom promete paz, tranquilidade, vida feliz e alegria e, portanto, compete com Deus. Muitos acham que estão confiando no Criador dos céus e da terra, mas sua confiança está depositada, de fato, em Mamom.

A sociedade de consumo nos condiciona e nos leva a desejar possuir cada vez mais bens, convencendo-nos de que seremos mais se tivermos mais. Um mundo que pensa e age somente em termos materiais acabou contaminando o povo de Deus. Por essa razão, muitas igrejas passam a se dedicar a anunciar conforto material ilimitado para aqueles que aderirem e lhes entregarem contribuições.

O trabalho tampouco deve ser visto simplesmente como um meio para alcançar acúmulo de riquezas. Na criação, o homem cuida do jardim como um serviço a Deus, e não como necessidade de sobrevivência, o que só ocorre depois da queda. O verdadeiro sentido do trabalho é, portanto, serviço ao Criador, e não aos homens. A ordem divina de governar a terra não significa sinal verde para explorar, mas, sim, para tratar dela e, principalmente, cuidar do ser humano para o qual a terra foi criada.

A ordem de Deus dada ao homem de cultivar e guardar o jardim significa o trabalho humano, e possibilita o desenvolvimento da ciência, da tecnologia e da arte a serviço de um mundo justo, equitativo, solidário, fraterno, sustentável. Essa é a missão do homem por meio do trabalho. A vida recebida deve ser transmitida com abundância.

Deus também estabelece que Adão dê nome aos animais, o que mostra o valor da palavra. Mais que um meio de comunicação, ela tem o poder de desvendar e transformar o mundo. A ciência surge no Éden como a compreensão humana do código do Criador.

No jardim, enxergamos um trabalho *produtivo*, mas permeado pela beleza, e, portanto, também um trabalho *criativo*. Havia horta e pomar, para mantimento, e flores e plantas ornamentais, para embelezamento. O jardim foi uma oportunidade para servir, criar, produzir e desfrutar, que é o verdadeiro sentido do trabalho.

Na sua pobreza voluntária, Jesus nos liberta dos condicionamentos da sociedade de consumo e nos torna dispostos a confiar a ele nossos dons, talentos, recursos e tempo, a fim de cuidar do planeta e servir com alegria ao nosso próximo. O verdadeiro conhecimento de Deus gera santidade e serviço, e o verdadeiro conhecimento de si gera quebrantamento e humildade.

Estas são as virtudes de que a Igreja mais carece nestes dias: santidade, serviço, quebrantamento e humildade. Portanto, tenhamos discernimento, para não substituir santidade por negócios escusos, serviço por conforto pessoal, quebrantamento por legalismo, humildade por autoritarismo. Olhemos para a vida de Jesus de Nazaré, que abriu mão de seus direitos e privilégios, esvaziou-se de sua glória celestial, por amor a nós fez-se homem e veio para servir, e não para ser servido. Ele trocou seu trono nos céus pela manjedoura e pela cruz.

Não há nada de errado em buscar as bênçãos de Deus e uma vida material digna. Errado é acumular sem repartir. Lembre-se da destruição de Sodoma: "Sodoma cometia os pecados de orgulho, glutonaria e preguiça, enquanto os pobres e necessitados sofriam. Era arrogante e cometia pecados detestáveis, por isso eu a exterminei, como você viu" (Ez 16.49-50).

Que o Senhor tenha misericórdia de nós, de sua Igreja e do Brasil.

Mamom e Babilônia

O que rege o coração humano? O que determina o ritmo de vida do homem urbano, que é materialista, consumista, alienado e vive num mundo de grandes injustiças sociais, mas que cuida apenas de si? O que acontece no mundo espiritual em torno das cidades?

Potestades são poderes espirituais, que imitam e competem com o Deus único e verdadeiro, prometendo segurança, prosperidade, paz, liberdade, conforto, alegria, amizades e poder — a verdadeira felicidade, enfim. Jesus disse que ninguém poderia servir a Deus e a Mamom, isto é, o dinheiro, as riquezas. Mamom é uma potestade que toma o lugar do Senhor no coração humano e o torna materialista, consumista, egoísta, desonesto, endividado, preocupado, interesseiro. Fazendo uso de uma lógica que destrói os relacionamentos e degrada a vida, Mamom gera injustiça social e promove guerras e deterioração ambiental. Na sua primeira carta a Timóteo, Paulo diz:

> Mas aqueles que desejam enriquecer caem em tentações e armadilhas e em muitos desejos tolos e nocivos, que os levam à ruína e destruição. Pois o amor ao dinheiro é a raiz de todo mal. E alguns, por tanto desejarem dinheiro,

desviaram-se da fé e afligiram a si mesmos com muitos sofrimentos.

1 Timóteo 6.9-10

A Palavra de Deus deixa claro que Mamom é um poder que se opõe a Deus e que, no final dos tempos, será aniquilado. Essa potestade promete alegria e paz, mas a realidade é que, por meio dela, tornamo-nos individualistas e desumanos. Mamom nos dá a ilusão de que podemos servi-lo felizes, seguros e despreocupados, mas ele acaba nos escravizando, e colocamos toda a nossa energia a seu serviço.

Um dos exemplos desse poder de Mamom é sua atuação em parceria com outra potestade bíblica: a Babilônia. Apocalipse nos conta que essa potestade assevera que tudo está à venda e pode ser comprado, até mesmo vidas humanas. A Babilônia é a sociedade de consumo, onde compramos o que não precisamos com o dinheiro que não temos para impressionar quem não conhecemos. É uma potestade que se alimenta de consumidores compulsivos e vorazes, determina o que consumir, exige que se ande na moda, se ostente grifes símbolos de sucesso, e sugere que só há felicidade para quem tem dinheiro. E as redes sociais promovem e amplificam essa ideia.

Descartes disse: "Penso, logo existo". Jesus Cristo nos ensinou que "Amo, logo existo". O senso comum do homem contemporâneo afirma: "Consumo, logo existo".

Como viver na Babilônia sem nos tornarmos vítimas da lógica perniciosa de Mamom? Jesus nos propõe outro caminho. Num mundo onde tudo está à venda e tem seu preço, ele nos ensina acerca da graça, a gratuidade do amor generoso e sacrificial de Deus, sem contrapartida, sem restrições. Seu reino é uma comunidade solidária, que busca justiça para os destituídos e inclusão para os excluídos. Os cidadãos desse reino sabem que a felicidade não está nas coisas, mas na simplicidade e no fazer o bem ao próximo.

A família, conforme projeto de Deus, não interessa à Babilônia. Um lar constituído de pai, mãe e filhos tem regras, faz orçamentos, estabelece metas e limites. A potestade quer pessoas mal-amadas, frustradas, desregradas, desequilibradas, carentes, com apetites insaciáveis no consumo e na sexualidade. A família nuclear é uma célula que consome pouco, pois nos sentimos amados e encontramos meios de convívio prazeroso sem a necessidade de grandes estímulos ou altos custos.

A Babilônia quer destruir o casamento heterossexual exclusivo e permanente, baseado em amor, respeito, perdão e fidelidade. De braços dados, a ideologia e o mercado querem desconstruir o núcleo familiar com pai e mãe que se amam e que convivem como família. Quando dividido, gera consumidores cada vez mais vorazes, que demandam com avidez coisas e produtos de consumo, acreditando piamente que a verdadeira felicidade se situa na dimensão do material, da sexualidade e das sensações que o dinheiro pode comprar e que o mercado oferece sem limites.

Os maiores consumidores, sejam de bens materiais, sejam de entretenimento, são pessoas mal-amadas e carentes de afeto. Mamom e a Babilônia mentem ao prometer um grande mercado onde todos serão felizes e, na sua lógica perversa, sabem que nem todos poderão ter acesso a ele. Grande parte da população ficará do lado de fora. É uma lógica de exclusão.

A maioria das pessoas acaba se rendendo a essas potestades, até mesmo os cristãos e suas igrejas, que mais parecem *shopping centers* ou casas de espetáculos. São igrejas onde se fala mais de dinheiro do que de Deus, onde a fé está relacionada com bênçãos materiais. Todavia, Mamom e Babilônia são inimigas do projeto de Jesus de Nazaré, e, portanto, devem ser combatidos, a começar no nosso próprio coração.

Só a mensagem do evangelho pode nos libertar do poder sedutor e destrutivo de Mamom e Babilônia e nos conduzir ao caminho do amor, da verdade, da integridade, da humildade, da generosidade, da gratidão, da tolerância e da paz — valores que podem gerar a verdadeira felicidade em famílias, igrejas, comunidades e nações.

O aprendizado da liberdade

Estamos todos muito preocupados com o crescimento da economia, a cotação da bolsa de valores e a alta do dólar. Gastamos tempo com nossa carreira profissional, perdemos o sono por conta da perda do nosso poder de compra, nos assustamos com os juros do cheque especial. Ficamos insones por causa da última promoção, do saldo bancário, dos rumos da política econômica. Por essa razão, para muitos a vida cristã se resume a buscar a Deus para resolver os problemas materiais e, assim, assegurar o conforto e a felicidade com base no dinheiro. A verdade é que nos tornamos escravos dessa lógica.

Durante quarenta anos, após a libertação da escravidão no Egito, o povo de Deus andou pelo deserto, conduzido por uma nuvem e uma coluna de fogo, sinais da presença e dos cuidados de Deus. Antes de chegar à terra prometida, foi necessário um tempo de aprendizado, a fim de redescobrir o que realmente tem valor na vida: a justiça, o direito, a misericórdia, a fidelidade. Aquele foi um longo aprendizado da liberdade, longe do fascínio da riqueza e do ouro do Egito.

Convertemo-nos, mas continuamos presos à lógica da retribuição. No cativeiro, a lealdade do escravo era recompensada pelo opressor com boa comida. No deserto, o povo de Deus sentiu saudade dos temperos do Egito, apesar de receber diariamente o maná que vinha do céu, e continuava sonhando com as iguarias da escravidão. Porque, afinal, toda escravidão tem seus ganhos.

No deserto, liberdade significava depender de Deus e segui-lo sem garantias. Continuar escravo significava uma vida de opressão, mas previsível, com garantia de boa comida. Por essa razão, o povo murmurava, pois permanecia preso à lógica de um poder que o oprimia, mas, ao mesmo tempo, recompensava com boa comida.

No deserto da vida, há um aprendizado de frugalidade, de dependência diária de Deus, de vida em comunidade, de seguir sempre em frente. No Egito, os escravos estavam a serviço dos faraós construtores de pirâmides — imensas montanhas de pedra a serviço da morte, cujo objetivo era tentar manter vivo o que já morrera. No deserto, o povo de Deus aprendeu a tirar os olhos das pirâmides, do fausto da corte do faraó, e viver o dia a dia em comunidade, dependendo do Senhor, sem poder acumular. Também aprendeu a cultuar o Deus vivo que, em contraste com as divindades egípcias que habitavam templos, palácios e pirâmides, habitava numa simples tenda no meio do deserto.

É verdade que Deus nos prometeu vida em abundância e vitória, uma terra prometida onde mana leite e mel. Mas o preâmbulo para chegar lá é uma profunda vivência de simplicidade, justiça, vida comunitária e dependência de Deus no deserto. A vida abundante, a vitória e a riqueza podem nos levar a adorar a nós mesmos e a nos fazer esquecer de Deus e dos que não têm os mesmos recursos que nós.

Quando Jesus encontrou o jovem rico, a sua proposta pareceu descabida: "Se você quer ser perfeito, vá, venda todos os seus bens e dê o dinheiro aos pobres. Então você terá um tesouro no céu. Depois, venha e siga-me" (Mt 19.21).

130   Inspiratio

O jovem havia afirmado que era obediente ao mandamento de amar a Deus sobre todas as coisas e ao próximo como a si mesmo. Ele parecia um bom religioso, cumpridor de suas obrigações. Mas a leitura que Jesus faz do mandamento para o jovem rico é: *Ame a Deus acima de suas riquezas, e ao pobre como a si mesmo.*

Acolhamos os tempos difíceis de simplicidade, escassez e penúria. É Deus quem nos conduz ao deserto, à experiência de privação e provação. Esse é um preâmbulo para entrar na vida abundante sem a presunção de que somos merecedores. Na terra prometida há vitória, mas lá também está o fascínio do ouro de Acã e o olhar sedutor de Dalila.

O caminho da escravidão para a liberdade passa pelo deserto. É ali que aprenderemos a resistir às tentações do sexo, do poder e do dinheiro e a viver na abundância com gratidão, humildade e generosidade.

Uma vida mais simples

O Senhor Deus é o criador de todas as coisas e a ele somos gratos pela riqueza, diversidade, abundância e beleza do nosso planeta. Tudo ele nos deu para que fôssemos bons cuidadores e pudéssemos desfrutar dos recursos naturais com justa repartição para todos e com respeito pelo meio ambiente. Mas não é isso que a economia de mercado está fazendo. Baseada no crescimento sem limites e no consumo desenfreado, esse sistema econômico concentra renda e coloca em risco o meio ambiente.

Esse modelo econômico é baseado na alimentação de um permanente estado de insatisfação, que só pode ser compensado por novos produtos. Nosso consumo é uma resposta não às nossas necessidades reais, mas a essa insatisfação, inflada pela publicidade, que promete felicidade por meio dos símbolos de *status*, seja roupa de grife, seja celular de última geração, seja a promessa de rejuvenescimento, seja o automóvel dos sonhos.

Com isso, entramos numa roda-viva de insatisfação, que nos torna mais consumistas e nos faz trabalhar mais. O resultado é endividamento crescente, menos tempo com a família e maior insensibilidade ao drama dos pobres. Sem contar que nos tornamos vaidosos, pois consumimos mais para impressionar os outros.

132   INSPIRATIO

Em 1980, um grupo de evangélicos se reuniu em Hoddesdon, na Inglaterra, convocados pela Comissão de Lausanne e pela Aliança Evangélica Mundial. Ali, esse grupo realizou uma conferência internacional sobre estilo de vida simples. Ao final, produziu uma declaração, que considero profética, e cito parte do artigo quinto, intitulado *Padrão de vida pessoal*:

> Nossa obediência cristã exige um padrão de vida simples. Entretanto, o fato de 800 milhões de pessoas viverem na pobreza e por volta de 10.000 pessoas morrerem de fome por dia (dados de 1980) torna qualquer outro padrão de vida injustificável. Alguns de nós fomos chamados para viver entre os pobres, outros para abrir seus lares a necessitados, mas todos nós estamos determinados a desenvolver um estilo de vida mais simples. Nós temos a intenção de reexaminar nossa renda e nossas despesas, com a finalidade de viver com menos e dar mais. Não estabelecemos nenhuma regra para nós mesmos nem para os outros. Contudo, tomamos a resolução de renunciar ao desperdício, ao supérfluo e à extravagância na nossa vida pessoal: vestuário, despesas de viagem, moradia, construção de igrejas. Aceitamos também a distinção entre a necessidade e o luxo, o lazer criativo e os símbolos de *status*, a modéstia e a vaidade, o serviço a Deus e a escravidão do consumo.[1]

Sabemos quais são as verdadeiras fontes de alegria e paz em nossa vida: viver com Deus e para Deus, amando e servindo o próximo; estabelecer amizades e vínculos significativos e douros; participar de uma comunidade cristã; buscar viver de forma íntegra e ética; cultivar valores como respeito, dignidade, solidariedade e fidelidade; crescer profissionalmente com

---

[1] Disponível em: <http://www.ultimato.com.br/conteudo/por-um-estilo-de-vida-simples>. Acesso em: 17 de ago. de 2017.

ética, manter uma contabilidade financeira pessoal equilibrada; ser generosos e contribuir para o reino e para os pobres; e redescobrir os pequenos prazeres simples e gratuitos, para viver de forma mais criativa, livre e construtiva.

Se não buscarmos viver dessa maneira, corremos o risco de ter todos os produtos que a publicidade insiste que tenhamos para ser felizes e, no entanto, viver num estado de permanente insatisfação, inveja e correria. Desse modo, terminaremos presos em congestionamentos gigantes e asfixiados por uma poluição sufocante; viveremos num país que se transformou numa grande plantação de cana e soja, com um enorme abismo social; e conviveremos com a angústia de um iminente desastre ambiental mundial, ocasionado pelo derretimento das geleiras em razão do aquecimento global; e uma provável derrocada do sistema financeiro mundial, gerada pela inadimplência de bancos americanos e europeus, cujos credores compraram imóveis que não podem pagar. Frei Betto nos conta o seguinte:

> Sócrates, filósofo grego, que morreu no ano 399 antes de Cristo, também gostava de descansar a cabeça percorrendo o centro comercial de Atenas. Quando vendedores como vocês o assediavam, ele respondia: "Estou apenas observando quanta coisa existe de que não preciso para ser feliz".[2]

É o que podemos fazer ao ver a publicidade nos *tablets* e *smartphones*, nas revistas, e na nossa próxima visita ao *shopping center*.

---

[2] Disponível em: <http://www.freibetto.org/index.php/artigos/14-artigos/20-passeio-socratico>. Acesso em: 10 de ago. de 2017.

Amor e casamento

A família é a célula mais importante da sociedade. O casamento e a família são, portanto, assuntos relacionados diretamente à fé cristã e à manutenção saudável da sociedade. E, para falar sobre casamento e família, devemos sempre começar por aquilo em que todo matrimônio se alicerça: o amor.

Em contraste com o amor de Deus que lemos em 1Coríntios 13, existe uma ambivalência tremenda no amor humano que une homem e mulher. Ora é um dom generoso, capaz de sofrer e se solidarizar, ora é uma paixão egoísta e ciumenta, ora é um voto perene de fidelidade, ora é um sentimento efêmero que não tem um compromisso futuro. Assim é o amor humano, dentro e fora do casamento.

No casamento cristão, cada um se dá ao outro de forma completa, exclusiva e definitiva. Um impulso que vem da profundidade da alma invade e faz vibrar todo o ser, e encontra o outro, o amado, na doce realidade do abraço, do afeto, do carinho, do cuidado.

Sabemos que o amor humano não é constante, tem variações e alterações surpreendentes e é capaz de passar de uma poética e sublime atitude afetuosa para uma postura de desprezo gélido e distante. O amor cristão, ao contrário, não é só levado pelos sentimentos, mas encontra seu abrigo contra as ambivalências de nossa alma no zelo e no fervor da vontade, do compromisso, do desejo de cumprir um voto.

Vemos no relato de Gênesis que o homem foi criado no sexto dia. Adão foi formado primeiro, em todo o seu esplendor e juventude, como ato final de Deus na criação, obra-prima de seu gênio criador. Tudo neste planeta era para ele, e ele mesmo era para Deus. No entanto, a obra divina não estava ainda terminada. O Criador diz: "Não é bom que o homem esteja sozinho" (Gn 2.18). Diante do ser solitário, na noite do último dia, Deus dá vida à sua última criatura. Diante de uma natureza respeitosa e atenta, o Senhor cria a mulher e a torna companheira do homem.

No momento sublime e final da criação, homem e mulher se encontram, e seu amor vigoroso e puro ressoa como um cântico novo e desconhecido por toda a terra. E Deus viu que isso era muito bom. Assim, o Pai descansa no sétimo dia, lançando seu olhar amoroso para esse homem e essa mulher que se abraçam. Sua obra está completa. Nesse encontro, o desejo de Deus na criação é consumado.

O relato de Gênesis prossegue e mostra que esse amor puro e vibrante se esfacela pelo caminho. O pecado original não foi somente uma falta pessoal, mas pecado do casal que, rompendo sua aliança com Deus, fez que o amor que unia o casal perdesse sua pureza original. A cobiça e o desejo de ser igual a Deus tornam-se luta pelo poder entre homem e mulher, acusação e desconfiança.

Permanece, entretanto, no coração do homem esse desejo e a saudade de um amor perfeito, puro, fiel, paciente, bondoso. Esse amor não inveja, não tem ciúmes, não se vangloria, não maltrata, não busca seus interesses, não se ira, não se alegra com a injustiça, mas tudo sofre, espera, crê e suporta.

Diante dessa fonte inesgotável de amor, podemos experimentar a cura das nossas feridas de rejeição e ir desarmados ao encontro do outro, por sabermos de onde viemos e para onde podemos voltar: o terno abraço de Deus, que nos acolhe e nos aceita por meio de Jesus Cristo.

Ao nos reconciliar com Deus por meio do amor derramado na cruz, Jesus traz a cura e a transformação para nosso coração egoísta, desafeiçoado e volúvel. Em Cristo, torna-se possível resistir aos inimigos do amor e crescer na intimidade e na capacidade de doação.

Não há triunfo para o amor senão de joelhos diante de Jesus, suplicando para ser revestido pela graça, nutrido e fortalecido pelo Espírito Santo, para a glória do Pai. Assim entendemos a salvação proposta por Cristo, não somente a salvação para a vida eterna com Deus, mas também salvação desse relacionamento vital de marido e mulher. O mundo carece desesperadamente desse amor nas relações familiares.

A graça e o amor que jorram do coração de Deus desde a eternidade encontram na cruz do Calvário sua expressão mais concreta e profunda. É quando nos arrependemos de nossos pecados diante da cruz que adentramos na experiência do amor e da graça de Deus. Mediante essa experiência, marido e mulher podem olhar um para o outro com amor que aceita incondicionalmente, com atitude imersa na graça que perdoa e redime o outro de seus erros. É um amor que não exige perfeição e que responde ao mal com o bem. É um amor que depende dos votos feitos diante de Deus, da prontidão para obedecer, seguir e depender para o resto da vida do Pai, do Filho e do Espírito Santo.

Um caminho para toda a vida

O casamento é um caminho de encontros, desencontros e reencontros. Em nossos documentos, uma das informações mais comuns diz respeito ao nosso estado civil. Muito além de um simples estado, ou seja, de uma condição estática, o casamento mais se assemelha a um processo, a algo em contínua evolução. Na verdade, é um caminho para toda a vida.

O casamento é uma aventura. Afinal, ninguém tem um mapa com todas as indicações e orientações com relação ao matrimônio, nem sequer conhecemos o caminho a ser percorrido. Às vezes, ele seguirá por uma rota florida e plana. Em outras ocasiões, seguirá por trilhas íngremes e escorregadias. No casamento, às vezes, faz-se dia claro, com temperatura amena, e, mais à frente, há tempestades em noite escura. A cada situação, uma surpresa e um aprendizado.

Temos, porém uma certeza: o matrimônio é um caminho a ser trilhado a dois, em parceria. Não se trata, apenas, de ter companhia; é preciso haver companheirismo, palavra derivada da expressão latina *cum panis*, ou "comer o mesmo pão". É um compromisso com o bem-estar do outro, uma jornada de desfrute, proteção, ajuda, dedicação e respeito mútuo. Trata-se de um caminho sem volta a ser percorrido a dois.

É bom estarmos cientes de que alguém caminha junto a nós nessa jornada. Anda conosco aquele que já trilhou todas as estradas, conhece toda a nossa humanidade e nos ama incondicionalmente. Às vezes, ele vai à nossa frente, nos conduzindo. Em determinados momentos, segue ao nosso lado, dialogando conosco, e, em diversas ocasiões, caminha atrás de nós, protegendo a retaguarda. O Senhor Jesus estará conosco todos os dias de nossa vida. É uma presença discreta e misteriosa, só percebida por aqueles que têm seus olhos espirituais abertos. Com ele, aprendemos a amar, a permanecer fiéis e a praticar o perdão que gera reconciliação.

Um belo dia, percebemos que a empreitada do casamento é muito maior do que tínhamos idealizado ou imaginado. Ou, então, percebemos que, mesmo entre marido e mulher, nossos mapas não batem, indicam direções opostas. É preciso, então, humildade para lembrar os votos feitos diante do Estado, da Igreja e do Senhor, pedir perdão, perdoar e recomeçar a aventura e a jornada. Ninguém tem um mapa preciso; o caminho é descoberto na caminhada diária, na dependência daquele que sabe infinitamente mais que nós e que, pela sua Palavra, nos orienta como andar.

No caminho, percebemos que as coisas boas da vida são simples e singelas: uma boa conversa, um passeio de mãos dadas, as brincadeiras com os filhos, receber os amigos em casa, rir e chorar juntos. Aprendemos, então, a desfrutar do que é possível e abrir mão de desejos extravagantes e idealizados.

O casamento, sem dúvida, é uma viagem que gera amadurecimento e conhecimento. Aprendemos, por exemplo, que precisamos de uma bagagem leve, que nos permite maior mobilidade e flexibilidade. Isso significa levar só o que é essencial e deixar para trás toda a tralha que não serve para nada, só atrapalha.

Viajantes experimentados sabem que é melhor passar mais tempo em uma única localidade, conhecendo sua gente e desfrutando de suas riquezas, do que percorrer apressadamente diversas cidades sem sequer apertar uma mão ou apreciar uma obra de arte. Da mesma forma, na viagem da vida a dois, não importa a quantidade de quilômetros percorridos ou os lugares visitados, mas, sim, a qualidade dos vínculos e das experiências e a profundidade dos afetos. Tornamo-nos experimentados quando sabemos onde estão os oásis nos desertos que atravessamos, qual é a hora certa de prosseguir após a tormenta e qual caminho leva dos vales sombrios aos campos verdejantes.

O casamento é a mais extraordinária das aventuras humanas, pois é como um caminho de encontros, desencontros e reencontros. É uma viagem que nos conduz ao melhor de nós, levando-nos a descobrir nossa capacidade de amar, abraçar, sorrir, encorajar, presentear e servir. Dessa aventura de amor vêm os filhos, gerados por nós. São outras vidas, cuja guarda o Senhor nos outorga, a fim de que as preparemos para sua própria jornada.

Que cada casal que conhece a Cristo entregue-se a ele, consagrando sua vida e seu amor. Que, ao lado do Mestre, marido e mulher perseverem no caminho do amor e do respeito mútuo, sem nunca desistir. E que, sob a proteção do Pai, o casamento leve a um amor maduro, que protege e cuida, e seja profundo o suficiente para que nada possa destruí-lo — e, assim, dure para sempre.

José, exemplo de marido e pai

No relato bíblico do Advento, Maria tem um papel preponderante. Parece que José tem pouca importância, aparecendo em segundo plano. Lemos profecias no Antigo Testamento sobre a virgem que conceberá e dará à luz um filho, a quem chamará Emanuel. Um anjo fala com ela, e no *Magnificat* ela expressa como foi honrada por Deus e que todas as gerações a chamarão de abençoada.

Diante de uma Maria tão íntima de Deus e celebrada por todos, como fica José? Qual é o seu papel nessa história? Qual é a sua importância nessa família? Não há menção da vida de José, exceto no nascimento de Jesus e quando seu filho tem 12 anos, no templo.

José não viu seu filho adulto, sua morte e sua ressurreição e, provavelmente, morreu antes de Jesus completar 30 anos. Não há registro no Novo Testamento de uma só palavra que José teria dito. Ele não foi predito no Antigo Testamento e até as ordens de Deus foram dadas por anjos ou por meio de sonhos. Talvez José tenha se perguntado: "Qual é a minha contribuição? Como poderei servi-lo?". Aquele homem tem o privilégio único de ser pai, no sentido da paternidade humana, de Jesus. Pouco pode fazer um pai no nascimento de um filho. Apoiar, cortar o cordão umbilical e observar de fora — a cena é toda da mãe.

Mas, nos momentos que se seguem, nos anos seguintes de infância e de adolescência de Jesus, a presença, os gestos, as atitudes, as palavras do marido e do pai serão fundamentais para a estruturação, a proteção e a integridade física e emocional da família. Sabemos que a ausência da figura paterna muitas vezes acarreta transtornos e produz famílias disfuncionais. Mas José estava lá. Ele foi um dos instrumentos de Deus na formação de Jesus. Sabemos que Cristo aprendeu diretamente do Espírito e das Escrituras, mas, certamente, também aprendeu do exemplo do seu pai José. O que poderia ter oferecido José a Jesus senão uma paternidade amorosa, presente e protetora, sendo o exemplo de como amar e servir a Deus?

Naquela época, o noivado tinha um peso maior do que em nossos dias. Era um acordo público entre duas famílias, que selava de maneira definitiva o compromisso entre dois jovens. Imagine o que deve ter pensado e sentido José ao descobrir que Maria estava grávida sem que ele a houvesse tocado. De outro! Embora Maria fosse inocente, não haveria como comprovar que ela tinha sido fertilizada por Deus. Diante de um tribunal, ela seria considerada adúltera e condenada ao apedrejamento.

Sem saber do anúncio dos anjos e da concepção virginal pelo Espírito Santo, sem ainda ter conversado com Maria, José, em seu coração terno e bondoso, não quis vingança, mas protegeu a reputação e a vida daquela a quem amava. Quantos de nós faríamos o mesmo? José é uma expressão da graça de Deus. Essa atitude certamente influenciaria Jesus nos anos seguintes, a atitude de um pai que, em vez de agressividade e vingança, buscava maneiras de fazer o bem e abençoar as pessoas que amava, mesmo quando ferido por elas.

Tão logo José tomou conhecimento do plano de Deus, ele imediatamente se casou com Maria, preservando-a de

142   INSPIRATIO

qualquer acusação e assumindo publicamente o filho como dele. Assim, ele adota Jesus.

José protege Maria na viagem da Galileia para Belém, cerca de noventa quilômetros, em subida íngreme. E isso com a mulher grávida de nove meses. Como no estábulo só estavam José e Maria, ele certamente a ajudou no parto. Depois, foi para Jerusalém, a fim de apresentar o recém-nascido no templo, conforme a prescrição da Lei. Aquela foi uma jornada de 160 quilômetros, com subidas íngremes.

José também protege Maria e Jesus da insanidade homicida de Herodes, exilando-se com os dois no Egito. Proteção e provisão numa longa viagem e na instalação em uma terra estranha. Em linha reta, essa jornada teria cerca de 300 quilômetros, mas seria necessário atravessar o Sinai. A rota mais segura seria descendo para o sul, passando por Heilat, numa jornada de 700 quilômetros. Tempos depois, José os leva de volta a Nazaré, sãos e salvos. Provê a eles um lar e, com seu ofício de carpinteiro, sustenta a família, inclusive os outros filhos que tem com Maria.

Uma das tragédias de nosso tempo é a ausência paterna. Muitos filhos crescem órfãos de pais vivos, criados basicamente pela mãe, com pouco contato prolongado, significativo e afetivo entre pais e filhos. José ofereceu presença, proteção, provisão e afeto à família. Esse foi seu chamado e sua vocação como homem. José foi provedor e protetor de sua família e, certamente, foi fundamental na formação do menino, do adolescente e do jovem Jesus.

José estava sempre pronto a obedecer a Deus, mesmo diante de ordens que lhe pareciam estranhas: casar com a noiva grávida de outro, fugir às pressas para o Egito com a família e, depois de instalado, voltar para sua casa, em Nazaré. Ele não argumentou, discutiu, hesitou, adiou nem racionalizou; somente fez o que o Senhor mandou fazer.

Nós, como pais, desejamos que nossos filhos sejam bons cristãos, honestos, obedientes, respeitadores, generosos e aplicados, e não queremos que passem o dia nas redes sociais, jogando *video games* ou que andem em más companhias. Mas será que damos o exemplo? O maior dano que podemos causar às próximas gerações é o de falar, ensinar e exigir comportamentos e atitudes que nós mesmos não vivemos.

Deus escolheu José, um homem piedoso, obediente, trabalhador, cuidador e provedor para ser o pai terreno de Cristo, para criar aquele menino que um dia obedeceria à ordem de dar a própria vida na cruz. Jesus certamente aprendeu a obediência pelo exemplo de seu pai adotivo, José.

Se os magos tinham incenso, ouro e mirra para oferecer a Jesus, se Maria tinha seu útero, o seu seio e sua dedicação, José tinha o exemplo e a coerência de vida. Ele amou sua esposa com amor perdoador, gracioso, generoso e abençoador, num momento adverso e doloroso. Ele assumiu as responsabilidades de prover, proteger, amar e estar presente, apesar das circunstâncias perigosas e instáveis. Ele era obediente a Deus, a quem obedecia de imediato e de coração, sem argumentar ou hesitar. Essas qualidades ele ofereceu à sua família e foram fundamentais na formação de Jesus. José não foi uma figura proeminente nas Escrituras, mas sua vida discreta e íntegra foi essencial para que a história do evangelho fosse escrita.

Como somos como maridos e pais? Muitas esposas e muitos filhos vivem no temor de fazer algo que possa despertar a violência e o desprezo de seu marido e pai. Com medo de errar, tornam-se previsíveis, sem criatividade, não arriscam, são reprimidos e enterram seu potencial.

Como um bom judeu, José conhecia o texto que é a síntese da devoção e da profissão de fé judaica:

Ouça com atenção, Israel, e tenha o cuidado de obedecer. Então tudo irá bem com vocês e terão muitos filhos na terra que produz leite e mel com fartura, exatamente como lhes prometeu o SENHOR, o Deus de seus antepassados. Ouça, ó Israel! O SENHOR, nosso Deus, o SENHOR é único! Ame o SENHOR, seu Deus, de todo o seu coração, de toda a sua alma e de toda a sua força. Guarde sempre no coração as palavras que hoje eu lhe dou. Repita-as com frequência a seus filhos. Converse a respeito delas quando estiver em casa e quando estiver caminhando, quando se deitar e quando se levantar. Amarre-as às mãos e prenda-as à testa como lembrança. Escreva-as nos batentes das portas de sua casa e em seus portões.

Deuteronômio 6.3-9

Na tradição judaica, os pais tinham duas tarefas principais: ensinar aos seus filhos a Torá e uma profissão. Sabemos com toda a certeza que Jesus foi guiado na sua infância e adolescência pelo Pai celestial e pelo Espírito Santo. Certamente ele aprendeu também com os rabinos de Nazaré. Com 12 anos, Jesus conversou com os sacerdotes no templo de Jerusalém e "Todos que o ouviam se admiravam de seu entendimento e de suas respostas" (Lc 2.47). A Bíblia não diz nada a respeito, mas podemos afirmar com toda a segurança que José, como bom pai judeu, ensinou a Torá ao filho e também uma profissão.

Certamente, Jesus aprendeu muito com o coração bondoso, abençoador e protetor de José. Lemos nos evangelhos que, já conhecido e com certa notoriedade, Jesus voltou a Nazaré, sua cidade natal, e o povo perguntou. "Não é esse o filho do carpinteiro?" (Mt 13.55). Apesar de não crerem em Cristo, eles reconheceram que Jesus era filho de José, o carpinteiro da aldeia.

Jesus tem títulos messiânicos, como Filho de Deus, Filho do Homem, Filho de Davi, Messias, Emanuel e tantos outros. Mas é também lembrado como... *o filho do carpinteiro.*

Virilidade e ternura

Depois da queda, Adão se esconde. Assim como foi com ele, os homens, em geral, têm dificuldade de confrontar a verdade sobre si mesmos, em especial na sociedade de nossos dias. O mundo em que vivemos empurra os homens a se refugiar atrás de uma fachada, seja de ativismo, seja de brincadeirinhas, seja de racionalizações, seja de espiritualizações. Todo homem deve responder a esta questão: *Quem sou eu?* Você é o que demonstra ser ou se esconde atrás de muitas máscaras sociais?

Aceitar quem eu sou na minha nudez, sem as folhas, é fundamental para o processo de me tornar verdadeiramente homem. Escondo-me de Deus e da mulher atrás de folhas e, portanto, não posso ser encontrado por eles, exceto quando me mostro como sou; quando descubro que sou ao mesmo tempo forte e fraco, corajoso e covarde, apaixonado e ressentido. Por trás das minhas fraquezas estão meus verdadeiros dons — o poder de Deus se aperfeiçoa na minha fraqueza.

Quando o Senhor pergunta a Adão se ele comeu do fruto, o primeiro homem acusa a mulher. Isso também é característico de muitos homens: negam suas faltas e erros e os projetam nos outros — a esposa, a família, o governo, a economia, o trabalho, o chefe, o trânsito. O homem só cresce quando para de culpar e demonizar os demais. Só assim ele pode crescer e amadurecer.

Nesse processo, o homem se vê confrontado com um medo inconsciente da mulher. Sobre Eva pesa a suspeita de que ela pode pôr tudo a perder; por essa razão, o homem se torna rígido, machista e autoritário, distanciando-se dela. Ele passa a tratá-la como objeto. Tornar-se uma só carne possibilita a reconciliação do masculino com o feminino e faz cessar a suspeita e o medo que a mulher acarreta. Isso está relacionado à sexualidade.

A sexualidade masculina se expressa no desejo de ser uma só carne com a mulher. Por desejar a mulher sem a mulher, o homem se envolve com inúmeras paixões e aventuras ao longo da vida, relações superficiais e efêmeras, ou com relacionamentos virtuais e pornografia. Tudo isso revela uma dificuldade enorme de criar um vínculo de intimidade, de se tornar um com a mulher.

Jesus, o segundo Adão, numa expressão de sua masculinidade, virilidade e determinação, purifica o templo. É a Páscoa judaica, e o Mestre vai ao templo de Jerusalém. Ali vivem as autoridades civis e religiosas de Israel, é a sede do poder. A cena dele derrubando as mesas dos cambistas nos choca, pois parece que Jesus está fora de si, indignado, fazendo uso de um chicote com cordas. Ele expressa sua ira, seu descontentamento, mas não destrói, não humilha, não maltrata. Cristo não usa o chicote contra os cambistas, mas contra animais de médio e grande porte; ele não derruba a gaiola com as pombas, mas as mesas de dinheiro. Com isso, nos ensina que uma verdadeira masculinidade é viril, pode se indignar com a profanação e a injustiça, usa sua força e sua energia sem destruir nada nem ninguém pelo caminho.

Percebo que muitos homens se retraem e tornam-se passivos diante do conflito. Outros se tornam irados, autoritários, violentos na dimensão física e verbal, e oprimem mulher, filhos e subalternos nas suas explosões diante do que os contraria, e não diante do que ofende a Deus. Jesus nos ensina a nos indignar com aquilo que ofende a Deus e a assumirmos posturas determinadas e enérgicas sem perder a ternura.

Nós, homens da sociedade contemporânea, precisamos fazer um caminho entre o velho homem, Adão, e o novo homem, Jesus. É um caminho que busca um relacionamento com Deus em termos afetivos, e não somente pragmáticos, que se permite passear com o Senhor no jardim de sua alma e que busca reconciliação consigo mesmo, com sua virilidade e masculinidade. Essa masculinidade é capaz de penetrar, desbravar com ternura e deixar sementes de vida, sem se esconder por trás de papéis sociais ou símbolos de consumo.

Ao fazer isso, o homem busca reconciliação com a mulher de sua mocidade, mas também com os aspectos femininos de sua alma. Também busca ressignificar o trabalho, não como mero instrumento de produção e lucro, mas como missão a serviço do Senhor para um mundo melhor — com foco em produtividade, mas também em criatividade e significado. Por fim, esse homem continua sua missão de protetor da família, a base da sociedade. Ele não se omite, mas, quando necessário, usa força e determinação adequadamente, sem ferir, destruir ou humilhar. Ao buscar trilhar esse caminho, o homem demonstra amor — a Deus, à mulher, aos filhos, à sociedade.

Criação e redenção

Deus fala ao nosso coração por intermédio da natureza: "Os céus proclamam a glória de Deus; o firmamento demonstra a habilidade de suas mãos. Dia após dia, eles continuam a falar; noite após noite, eles o tornam conhecido. Não há som nem palavras, nunca se ouve o que eles dizem. Sua mensagem, porém, chegou a toda a terra, e suas palavras, aos confins do mundo" (Sl 19.1-4). A Bíblia diz que o primeiro ofício do ser humano foi cuidar de um jardim. O planeta Terra é o lugar que Deus preparou para seu encontro com o homem e a mulher. É também o lugar onde ele encarnou com a missão de reconduzir-nos de volta ao Pai, por meio do perdão proposto na cruz. A Terra é, portanto, sagrada. Ter essa compreensão nos leva a preocupar-nos com o meio ambiente.

No Brasil, temos desenvolvido devagar uma consciência ecológica, mas ainda há muito caminho a ser trilhado em âmbitos como educação e legislação. Um dos aspectos positivos do que tem ocorrido por aqui é a criação dos parques nacionais, lugares onde a natureza é intocada e protegida.

Alguns anos atrás, visitei a Chapada Diamantina, no coração da Bahia. O morro do Pai Inácio ergue-se imponente, com seus 1.120 metros de altitude e, junto com os morros Três Irmãos e do Camelo, são os guardiões do Parque

Nacional para quem chega de Lençóis. É uma das áreas de natureza mais exuberante e preservada do Brasil. São incontáveis rios de águas cristalinas, cânions, cachoeiras, corredeiras, cavernas e poços. Ali também é possível admirar bromélias, orquídeas, cactos e outras plantas exóticas.

Num entardecer de domingo, do alto do morro do Pai Inácio, com uma visão privilegiada do parque, meditei sobre a bondade de Deus expressa na natureza. O relato de Gênesis nos conta que Deus encheu este planeta de beleza e deu todas as condições de sustentabilidade para a vida humana. Tudo isso me passava pela cabeça naquele momento de encantamento. Louvei a Deus pela capacidade humana de apreciar o belo e de reconhecer a presença divina no espaço que me cercava. Agradeci a ele pelo privilégio de viver num país como o Brasil, com tantas belezas naturais. Meditei sobre o mistério da criação. Foi um momento de gratidão, pois minha esposa e eu estávamos juntos ali, e no dia seguinte completaríamos trinta anos de casados.

Logo me chamou a atenção uma cruz de ferro, posicionada no alto daquele morro. Fiquei intrigado com aquela cruz e perguntei ao guia quem a havia colocado ali. Ele me relatou que, na época em que estavam construindo a rodovia no vale abaixo, muitos trabalhadores foram atingidos mortalmente por raios que caíam por ocasião das tempestades. A cruz foi posta para servir de para-raios, a fim de proteger os trabalhadores. Percebi, então, a força daquele símbolo. No topo do Calvário, Jesus Cristo recebe sobre si os raios da morte que nos eram destinados, para que possamos viver em paz e alegria no vale.

Ali, naquele momento, diante do mistério da criação e do mistério da redenção, fiquei sem palavras. Tudo que restou foi uma contemplação silenciosa da natureza e da cruz, ambas anunciando que Deus é Criador e Salvador. Há momentos na vida em que somos tocados de forma misteriosa pela presença amorosa e bondosa de Deus, e não esquecemos mais. São epifanias, experiências do alto.

Dali voltamos para Lençóis e, alguns dias mais tarde, para casa, para o cotidiano, para a luta pela sobrevivência. Mas, na vida, por mais fundo que desçamos, sempre saberemos de onde viemos e para onde podemos voltar: a experiência profunda com o nosso Deus, Criador e Redentor.

PARTE

4

SPIRITUS

Reflexões sobre espiritualidade

Espiritualidade e vida

O que seria a verdadeira espiritualidade cristã? Sob quais condições o relacionamento pessoal com Deus e as demandas do cotidiano podem se encontrar e se tornar o mesmo movimento? Como confluir o mistério de Cristo em nós e os problemas da rotina diária? Como a atividade transcendental da devoção e da oração pode orientar e dar sentido ao imanente, ao concreto, à vida em família, na igreja e na sociedade? Como integrar vida espiritual com o que é existencial, emocional, relacional, social? Como fazer para que a nossa comunhão com Deus torne os gestos simples do cotidiano atos de fé, esperança e amor?

Em Cristo enxergamos a unidade e a integração. Nele vemos confluir a espiritualidade no dia a dia, na vida e na missão. Não se trata de uma explicação, de um método ou de um plano a ser seguido, mas do mistério de uma pessoa real, alguém vivo e visível.

Emanuel, Deus conosco, é um ser divino e humano ao mesmo tempo. Ele é perfeitamente Deus, e todas a coisas foram feitas por intermédio dele. Jesus é o Alfa e o Ômega, o primogênito de toda a criação. Nele reside toda a plenitude de Deus. Ele reina soberano sobre todas as coisas. Cristo é Deus vivo, que encarnou e habitou entre nós, perfeitamente humano no nascimento, na meninice, nas amizades, nas andanças, nas emoções, na dor emocional do abandono de seus amigos, na dor física do tormento da cruz. Nele vemos como Deus é, e o homem como deveria ser.

Em Jesus, vida humana e vida divina convergem. Ele nos deu a graça de participar da unidade entre o transcendente e o imanente por meio do Espírito Santo que em nós habita. Como ele mesmo nos ensina, se permanecermos nele, como os ramos de uma videira conectados ao caule, participamos de sua vida e ele, da nossa, o que fará surgir em nós os frutos das boas obras e da justiça. Deus está presente em todos os atos de nossa vida e nos oferece a intimidade de sua companhia.

Na devoção aprendemos a desfrutar do mistério de sua presença e, com isso, nosso cotidiano fica permeado de amor generoso, imerecido, imutável e incondicional com que fomos amados por ele. A oração se torna gesto no cotidiano, e o gesto no cotidiano ser torna oração.

Nossa existência humana não pode subsistir fora do divino, do sagrado, da vida de Jesus Cristo. Esse é o terreno onde a verdadeira vida germina, cresce e dá seu fruto. Em Cristo, divino e humano coexistem em perfeita harmonia, e na graça de sua presença em nós crescemos no seu conhecimento e na experiência de nossa verdadeira humanidade.

A vida cristã é como um rio. Uma metáfora para o mistério da vida, mistério dinâmico que se move e cujas fontes estão em Deus. O manancial e o rio encontram-se, formando uma unidade. Um rio que se move do meu interior. Um movimento que vai do meu nascimento à minha morte. Deus é a fonte e a origem, mas também o oceano imenso onde minha vida, tal como um rio, desaguará um dia. Ora cristalino e transparente, ora poluído e sujo, mas sempre se renovando. Um rio que algumas vezes corre tranquilo na planície, outras encachoeirado entre abismos e pedras.

O mistério da vida. Um movimento, uma peregrinação. Sem fim, sem volta, com Cristo, até Cristo.

A voz de Deus

Com o crescimento da igreja evangélica no Brasil, cresceu também a oferta de estudos bíblicos, pregações e sermões. Há muita gente falando sobre a Bíblia em igrejas, seminários, conferências, retiros, casas, apartamentos e em incontáveis programas de rádio e televisão. São estudos e pregações exegéticos, temáticos, biográficos, expositivos, indutivos, evangelísticos e doutrinários, além de muitas receitas para orar, evangelizar, prosperar, vencer o diabo e atingir todo tipo de público. A predominância é de temas triunfalistas e de autoajuda, que falam de um Deus que promove a felicidade e evita o sofrimento.

Damos graças a Deus por essa abundância de sermões, estudos bíblicos, seminários, conferências, comentários e traduções da Bíblia. Nunca o evangelho foi tão lido e explicado como nos dias de hoje. Sua mensagem é propagada pelos quatro cantos, por meio de mídias variadas, e está acessível a todo tipo de gente. Apesar disso, precisamos nos perguntar se estamos, de fato, ouvindo a voz de Deus. Para tanto precisamos de pelo menos três atitudes.

A primeira é *usar a Bíblia como texto, e não como pretexto.* Uma leitura mais profunda das Escrituras nos leva a perceber que a Palavra é o *Logos*, e que o *Logos* é uma pessoa. A Palavra é ação, é realidade, acontece, encarna. Ela vira gesto humano na pessoa de Jesus Cristo. Não se trata de um discurso, mas de gestos, palavras e atitudes que acontecem no chão da vida e nos tornam mais parecidos com Cristo.

A Palavra revela um Deus de amor que não desiste de declarar seu desejo enorme de ter comunhão com a humanidade. A Palavra é relacional e acontece na História, na vida de homens como nós. Muitas vezes, lemos a Bíblia como algo distante, passado, que necessita de muitas explicações e argumentações. Por outro lado, quando a usamos como pretexto, geramos exegeses e orações equivocadas, legalismo e discussões doutrinárias estéreis, fruto de nossas próprias ambições e paixões.

A segunda atitude é *buscar uma experiência do coração*. Lemos a Bíblia para ouvir uma sublime e penetrante voz dentro da nossa realidade. A Palavra é para ser ouvida com o coração, isto é, com os afetos, para que tenhamos uma experiência de encontro e comunhão com a Trindade. Há uma diferença muito grande entre o estudo bíblico que é fruto de uma produção da mente humana e outro que é fruto de uma experiência de intimidade com Deus.

Essa aproximação do divino não acontece por acaso, tampouco é para todos. Há que se cultivar o temor, a santidade, e, acima de tudo, uma saudade intensa de Deus, um desejo enorme de estar com ele. Descobrimos que só um grande amor pode nos livrar do desespero ou da alienação resultantes do vazio que existe no nosso coração. Só quando percebemos o grande amor com que fomos amados é que podemos responder com amor também. O que faz o progresso da vida espiritual não é a técnica ou o intelecto, mas os afetos. Por isso, grande parte das Escrituras utiliza uma linguagem permeada de poesia, metáforas, parábolas e doxologias, isto é, uma linguagem do coração.

A terceira atitude é *adquirir uma cosmovisão cristã*. Somos chamados a desenvolver nosso intelecto com leituras, consulta a comentários e dicionários, a conhecer a história passada e a atual, a ler biografias de homens e mulheres de Deus, a conhecer teologia e ética, a tratar o texto bíblico com reverência, mas também ter uma mente inquiridora que medita, reflete, constrói o pensamento, se move em direção a uma cosmovisão cristã da realidade humana.

É bom ler obras clássicas da literatura, pois os grandes romancistas e filósofos nos ajudam a ver o mundo com outros olhos, sem perder nossa referência cristã. Devemos escolher criteriosamente livros que nos ajudem a ser pessoas melhores e despertam nossa consciência para a missão e o serviço cristãos, realizados de forma coerente e eficaz. A Palavra gera homens e mulheres que são cidadãos do reino, capazes de promover, de forma inteligente, transformações pessoais, familiares, comunitárias e sociais.

Afinal, todos esses estudos bíblicos e pregações têm gerado homens e mulheres mais parecidos com Jesus Cristo? Estamos realmente usando as Escrituras como texto? Ou as utilizamos como pretexto? Nossas pregações surgem de uma experiência do coração e de uma mente inteligente? A mensagem que transmitimos gera de fato transformação? Precisamos pensar sobre essas questões, se queremos viver uma espiritualidade rica, pujante e consequente.

Deus faz morada no nosso coração

Deus não habita em templos feitos pela mão humana, mas no templo do nosso corpo que ele mesmo criou e construiu. Insistimos em procurar Deus no templo, no domingo, e nos relacionamos com ele mediados pelo "levita" — o dirigente do louvor — e pelo "sacerdote" — o pastor. E, ao fazê-lo, regressamos à Antiga Aliança, que desconhecia o sacerdócio universal dos crentes.

"O Alto e Sublime, que vive na eternidade, o Santo diz: 'Habito nos lugares altos e santos, e também com os de espírito oprimido e humilde. Dou novo ânimo aos abatidos e coragem aos de coração arrependido'" (Is 57.15). Deus habita no espaço da nossa fragilidade, da falência e da tragédia humanas. Ali ele realiza seu desejo e sua obra, dando coragem e ânimo para que vivamos nossa vida confusa num mundo conturbado.

Jesus Cristo nos insta a entrar no secreto para orar, a fim de sair do público, da obsessão de agradar homens, para sermos reconhecidos por Deus na intimidade pelo que somos, e não pelo que fazemos ou dizemos. O quarto é o quarto do coração, do verdadeiro eu, no silêncio, na solitude, na privacidade. Fechamos a porta e deixamos do lado de fora todas as distrações, preocupações, interrupções e agitações.

Com isso, deixamos de lado a rotina e nos desapegamos da conversa fútil, das discussões estéreis e das explicações vazias, para penetrar no lugar mais íntimo, o lugar onde Deus discretamente se esconde: o coração daquele que crê.

Deus deseja que entremos no secreto (Mt 6.5-8) e faz advertências: não orar de pé em público para impressionar os outros; não usar jargões, na presunção de que ele se agrada de longas orações; não ficar dizendo a Deus como ele tem de cuidar de nós. Tampouco oramos a fim de obter uma recompensa ou um benefício. É secreto, algo que não vemos, não tocamos. Não podemos fazer cópia, comercializar, sistematizar, anunciar, reproduzir, fazer publicidade, comercializar, ganhar, dar, pegar.

Entre no quarto e feche a porta. Entre no secreto, na presença do Deus vivo, cujo santuário está no nosso coração. Entremos confiadamente na sala do trono pelo novo e vivo caminho do sangue de Cristo. Descemos no fundo da nossa alma e penetramos no lugar santíssimo, mediados pela cruz do Cristo. Essa é sempre uma experiência de conversão, contrição e quebrantamento.

Ali estamos desnudos diante do Senhor. Os pensamentos mais obscuros, as agendas mais secretas estão diante dos olhos daquele que nos viu no momento em que fomos concebidos no ventre de nossa mãe. E ali, extasiados, somos acolhidos na comunhão da Trindade, sem que ninguém saiba, sem que ninguém veja. No secreto vivemos um segredo entre nós e Deus.

No secreto somos amados com amor incondicional, imerecido, impagável, imutável, ilimitado. Somos acolhidos, perdoados e recebidos na eterna comunhão da Trindade. Entregues ao amor divino para colóquio íntimo, em união mística com Cristo, passamos a compreender melhor as figuras do Noivo e da Noiva, presentes nos livros de Oseias e

Cântico dos Cânticos e nos ensinos de Paulo. Ali compreendemos melhor o significado do temor, da vida eterna no seio da comunhão sublime da Trindade.

No secreto nos sentimos saudáveis e plenos, desfrutando de uma paz que excede todo o entendimento e de uma alegria indizível, cheia de glória. É uma experiência imediata, transcendente, inenarrável e indescritível com o divino, o eterno, o sagrado, o sublime, muito além das palavras, dos sentimentos, dos rituais e da excitação. Ali ouvimos o Senhor nos dizer que nos aquietemos, por saber que ele é Deus.

A dinâmica do secreto afeta a consciência, a mente, as emoções, os sentidos e o corpo. Há um caos lá fora, mas o fundo da alma é um núcleo saudável. Ali a luz divina ilumina minhas trevas e adquiro a consciência profunda e serena de quem eu sou, quem é Deus e quem é o meu próximo. No silêncio nos tornamos conscientes de nossos pensamentos, que, na forma de tentações, nos empurram para decisões precipitadas, sem que tenhamos controle racional ou consentimento de nossa vontade. Não é fácil entrar em contato consciente com essas tentações, embora elas estejam presentes e ajam na nossa mente constantemente.

Por fim, o Espírito Santo nos conduz à profundidade da nossa alma, onde nos quebrantamos diante de Deus. Por meio da leitura da Palavra, ele nos capacita, então, a ter pensamentos nobres e apaixonados, inspirações que vêm do alto. Quando isso ocorre, vivemos o processo de transformação da mente, que, cada vez mais, se tornará como a de Cristo.

Vida devocional

Um dos pilares da experiência cristã é a vida devocional, isto é, o cultivo de uma relação de intimidade com Deus por meio da leitura bíblica e da oração. Jesus nos orientou que a vida devocional deve acontecer no quarto, de portas fechadas, longe do público e das distrações (Mt 6.6).

Essa prática é um privilégio extraordinário dos que creem. Na Antiga Aliança, apenas o sumo sacerdote, uma vez por ano, tinha acesso à presença de Deus, no lugar santíssimo, no templo de Jerusalém. No momento em que Jesus morre na cruz, o véu que dava acesso a essa presença foi rasgado de alto a baixo. O livro de Hebreus nos mostra que, por essa razão, por causa do sangue de Jesus, agora podemos entrar com toda a confiança no lugar santíssimo, por um caminho novo e vivo (Hb 10.19-22).

Deus não está mais no templo de Jerusalém, edificação feita por mãos humanas. Agora ele habita no coração do homem e da mulher que nele creem e, assim, nosso corpo se tornou templo do Espírito Santo. Esse é o mistério de Cristo em nós. Assim, foi abolido o sacerdócio como privilégio dos levitas e, em Cristo, o sacerdócio se tornou universal e inclui todos os cristãos.

Apesar disso, notamos um retrocesso da igreja. O lugar do encontro com Deus se tornou o templo, no domingo; a

162 Inspiratio

adoração é intermediada pela banda e pelo dirigente do louvor; Deus fala por meio de pregadores "ungidos"; e levamos nossas orações para intercessores "que têm poder". O resultado disso é uma geração de crentes que dependem do templo e dos sacerdotes na sua relação com Deus.

Em vez da leitura bíblica pessoal, ouvimos sermões. Em vez de uma oração pessoal que se desnuda diante de Deus, fazemos nossos pedidos na reunião de oração. É por essa razão que existem tão poucos santos e profetas entre nós e tantos crentes imaturos e instáveis. Santo não é aquele que não peca mais, mas que sabe que é um grande pecador e vive quebrantado e na dependência do Espírito Santo. Profeta não é aquele que adivinha o futuro, mas que confronta e denuncia o mal e, com isso, desagrada muitos.

A vida devocional ficou em segundo plano e, sem vida pessoal com Deus, a ênfase recai na vida comunitária, no programa, no culto. Parte porque nos tornamos pessoas inquietas e agitadas, que não conseguem parar, parte porque achamos que Deus só fala conosco por meio de pastores. Além disso, também negligenciamos a vida devocional, porque a consideramos improdutiva e até perda de tempo, preferindo experiências espirituais eufóricas e ativismo religioso.

Sabemos que Deus habita o mais alto e santo lugar nos céus, mas também o coração do contrito e do abatido de espírito. Procuramos Deus nas regiões celestiais, mas ele está muito mais perto de nós, no nosso coração. Nós o encontramos mais facilmente quando descemos, e não quando subimos. Descemos ao nosso coração para encontrá-lo por trás de nossa maldade e agitação. A casa do Pai é o nosso coração. Por isso, voltar para a casa do Pai é voltar para o próprio coração. Ali ouvimos sua Palavra e lhe respondemos com orações. A vida devocional é, em outras palavras, o cultivo de uma amizade com Deus no recôndito do nosso coração.

Ao fazer isso, nossa vida se torna um caminho com Cristo, até Cristo, em direção ao nosso coração, além do discurso teológico correto, da euforia e do ativismo religioso. Aquietamo-nos para encontrá-lo e, quando o encontramos, estaremos prontos para encontrar outros.

Sabemos da importância dos frutos na vida cristã: fruto de arrependimento, fruto do Espírito e fruto de boas obras. O mais importante de uma árvore é a raiz. Uma árvore pode ter um tronco magnífico e folhas viçosas, mas, se a raiz estiver afetada, seus frutos serão ruins e ela poderá até morrer. A vida devocional é a raiz que precisa estar coberta, no escuro, nas profundezas, pois, quando as raízes são saudáveis, quando se alimentam da seiva viva e se hidratam nos mananciais de águas puras, então não precisamos nos preocupar com os frutos — eles certamente virão e serão bons.

Precisamos resgatar o ensino e a prática do sacerdócio universal dos cristãos e o vínculo de intimidade com Deus por meio da leitura bíblica e da oração no secreto.

Ascese

Ascese é um conceito importante na espiritualidade clássica. Significa, literalmente, "exercício", "ginástica". É uma preparação para o combate. Encontramos essa ideia apenas uma vez no Novo Testamento, quando Paulo, preso no pretório de Herodes, em Cesareia, diz ao governador Félix: "Por isso, *procuro sempre* manter a consciência limpa diante de Deus e dos homens" (At 24.16). Ascese é, assim, o ato de se exercitar e se esforçar a fim de resistir ao mal e ao pecado e de buscar o bem, a virtude. Trata-se, em outras palavras, de um combate. É importante resgatar o sentido espiritual do "esforço", que, para muitos, tem uma conotação negativa, com implicações legalistas e autocentradas.

Na espiritualidade clássica, a ascese não é estoicismo, mas um caminho permeado pela graça. A verdadeira vida espiritual afirma a unidade entre a ascese e a mística. Eu diria ainda que inclui a teologia e a missão. O apotegma grego ilustra bem esse conceito:

> Um irmão disse a um ancião: "Já não existe mais luta no meu coração". O ancião lhe respondeu: "Você é um edifício, aberto de todos os lados. Todos podem entrar e sair como quiserem, e você desconhece o que se passa. Mas, se você tivesse uma só

porta e a fechasse, proibindo a entrada dos maus pensamentos, os veria do lado de fora, combativos e agressivos contra você".[1]

A ascese corrige a ideia de que a vida cristã é calma e tranquila, sem combate. A tentação de uma vida fácil está presente no nosso coração. "Eu lhe darei tudo isto [...]. Basta ajoelhar-se e adorar-me" (Mt 4.9) é uma proposta demoníaca, promessa de riqueza e felicidade sem sacrifício nem renúncia. A jornada com Cristo é uma viagem para toda a vida, em direção à simplicidade e à confiança. Nessa jornada, o ego, o mundo e o diabo serão opositores ferozes, inimigos astuciosos: o ego com orgulho, inveja, ira, lascívia, egoísmo e avareza; o mundo com ofertas tentadoras de fama, poder e dinheiro; e o diabo com sua duplicidade, o dualismo na mente humana.

No Éden, o homem estava voltado inteiramente para Deus. A humanidade tinha um só pensamento e um só desejo, uma unidade espiritual que a fazia amar a Deus mais do que todas as coisas. Após a queda, o homem se dividiu: ele quer e não quer, deseja e não deseja, numa duplicidade de pensamentos e desejos. O querer fazer o bem está em nós, mas outra força nos leva a fazer o mal que detestamos.

A ascese é o exercício que nos conduz em direção a um pensamento único e simples, o de desejar Deus acima de todas as coisas, a fim de que nossa alma chegue a uma união com o Pai, o Filho e o Espírito Santo. O diabo é responsável por tudo aquilo que desvia nosso foco de Deus.

Vistam toda a armadura de Deus, para que possam permanecer firmes contra as estratégias do diabo. Pois nós não lutamos contra inimigos de carne e sangue, mas contra governantes e autoridades do mundo invisível, contra grandes poderes neste mundo de trevas e contra espíritos malignos nas esferas celestiais.

Efésios 6.11-12

---

[1] Lucien Regnault. *À escuta dos pais do deserto hoje*. Juiz de Fora: Edições Subiaco, 2015, p. 73.

166 INSPIRATIO

O objetivo da ascese é procurar a vida espiritual, ou seja, a vida no Espírito Santo. O ponto de partida é o homem carnal, sujeito às suas próprias paixões, fruto da queda, que o "danificou", mas não destruiu completamente a imagem de Deus em nós. A queda deixou no homem certo conhecimento da verdade e do divino e uma sede por um amor perfeito e eterno, mas introduziu no coração do homem a dimensão do mal, da mentira, da corrupção. O resultado é que o bem e o mal estão no coração do homem e disputam entre si quem tem a primazia, como Paulo mostrou com total clareza:

Não entendo a mim mesmo, pois quero fazer o que é certo, mas não o faço. Em vez disso, faço aquilo que odeio. Mas, se eu sei que o que faço é errado, isso mostra que concordo que a lei é boa. Portanto, não sou eu quem faz o que é errado, mas o pecado que habita em mim. E eu sei que em mim, isto é, em minha natureza humana, não há nada de bom, pois quero fazer o que é certo, mas não consigo. Quero fazer o bem, mas não o faço. Não quero fazer o que é errado, mas, ainda assim, o faço. Então, se faço o que não quero, na verdade não sou eu quem o faz, mas o pecado que habita em mim. Assim, descobri esta lei em minha vida: quando quero fazer o que é certo, percebo que o mal está presente em mim. Amo a lei de Deus de todo o coração. Contudo, há outra lei dentro de mim que está em guerra com minha mente e me torna escravo do pecado que permanece dentro de mim. Como sou miserável! Quem me libertará deste corpo mortal dominado pelo pecado? Graças a Deus, a resposta está em Jesus Cristo, nosso Senhor. Na mente, quero, de fato, obedecer à lei de Deus, mas, por causa de minha natureza humana, sou escravo do pecado.

Romanos 7.15-25

Por meio da vida, da morte e da ressurreição de Cristo, tornou-se possível a vitória sobre as forças do mal que assaltam minha mente, meu coração e meu corpo: o pecado, o

Ascese 167

mundo, a morte e o diabo. Para obter essa vitória, preciso da graça de Deus derramada no meu coração pelo Espírito Santo, mas, também, da minha busca, do meu esforço, do meu exercício — em outras palavras, da minha ascese. Paulo tratou dessa questão:

> Por isso digo: deixem que o Espírito guie sua vida. Assim, não satisfarão os anseios de sua natureza humana. A natureza humana deseja fazer exatamente o oposto do que o Espírito quer, e o Espírito nos impele na direção contrária àquela desejada pela natureza humana. Essas duas forças se confrontam o tempo todo, de modo que vocês não têm liberdade de pôr em prática o que intentam fazer.
>
> Gálatas 5.16-17

Jesus nos incita a orar para não cair em tentação: "Vigiem e orem para que não cedam à tentação, pois o espírito está disposto, mas a carne é fraca" (Mt 26.41), um conceito que ele ampliou em diferentes ocasiões (Mt 25.1-13; Mc 13.33-37; Lc 12.37-40). Paulo desenvolve o tema da ascese com termos parecidos: "Estejam vigilantes. Permaneçam firmes na fé. Sejam corajosos. Sejam fortes" (1Co 16.13); "Dediquem-se à oração com a mente alerta e o coração agradecido" (Cl 4.2), mas também em outros termos:

> Vocês não sabem que, numa corrida, todos competem, mas apenas um ganha o prêmio? Portanto, corram para vencer. O atleta precisa ser disciplinado sob todos os aspectos. Ele se esforça para ganhar um prêmio perecível. Nós, porém, o fazemos para ganhar um prêmio eterno. Por isso não corro sem objetivo nem luto como quem dá golpes no ar. Disciplino meu corpo como um atleta, treinando-o para fazer o que deve, de modo que, depois de ter pregado a outros, eu mesmo não seja desqualificado.
>
> 1Coríntios 9.24-27

168 Inspiratio

Ao longo de toda a nossa vida, travamos essa luta, para a qual precisamos estar preparados. Ela ocorre nos labirintos profundos de nossa alma e muitas vezes não temos consciência das tentações que nos cercam e do pecado que tenazmente nos assedia. A ascese leva em conta tirar o mal que está no nosso coração, enchendo-o de coisas boas.

A ascese é o processo de encher o coração por meio das disciplinas espirituais, como a confissão, a busca do Espírito Santo, a leitura da Bíblia, a oração, o jejum e o exame de consciência. Essas disciplinas nos preparam para o combate, que é incessante. Se cairmos, temos perdão, a fim de nos levantarmos e prosseguirmos em direção ao alvo. Ao continuarmos na ascese, damos cada vez mais lugar ao Espírito Santo em nossa vida. Seu fruto e seus dons nos tornam mais santos e servos, ao passo que as obras da carne encontram cada vez menos lugar para se abrigar em nosso coração. É a *metanoia*.

A ascese é o contraponto e o remédio para a *acídia*, estado de espírito descrito como tristeza, dispersão. É quando perdemos o foco e, por essa razão, nos sentimos perdidos e vazios, desatentos e ansiosos. Os antigos mestres entendem essa palavra como uma forma de depressão, decorrente do relaxamento da ascese, da diminuição da vigilância, da negligência do coração. Existencialmente falando, a acídia é niilismo, o nada: nada de bom, nada que valha a pena, nada para amar, nada de que eu goste, nada para sonhar, nada de novo. Entre os sete pecados capitais, é o tédio, a tristeza ou a preguiça.

Na vida de Jesus e para os pais do deserto esse combate se dá no silêncio e na solitude. Isto é, na solitude, no recolhimento, num lugar ermo e solitário, sem distrações, sem estímulos, sem ninguém olhando. O deserto é uma realidade externa, um lugar, mas também uma realidade interna, um estado de consciência.

Jesus não foi para o deserto a fim de fugir do mal, mas para confrontar o mal face a face. Tudo o que age de forma dissimulada em nossa vida vem à superfície na experiência de um deserto externo e interno. Ali, naquele lugar, na solitude e no silêncio, Jesus pôde perceber mais claramente aquilo que o diabo já vinha fazendo sistematicamente: atacá-lo de forma massiva e brutal, com o objetivo de confundir sua identidade, levá-lo a usar seu poder em benefício pessoal, demovê-lo de sua missão.

Essa ocorrência bíblica tem valor normativo para todos os cristãos. Ali, ao aplicar disciplinas como silêncio, solitude, oração, leitura bíblica e jejum, Jesus resistiu ao assédio diabólico e desmantelou as sutis armadilhas do inimigo.

Não deveríamos ver a ascese como uma prática exclusivamente monástica ou restrita a alguns santos e iluminados, mas uma atitude a ser adotada por todos os cristãos, pois somos chamados a nos exercitar, desenvolvendo uma disciplina espiritual pessoal. Assim poderemos discernir o mal que está no nosso coração, enfrentá-lo e superá-lo, dando lugar ao bem, a uma santidade irradiante e inserida na vida, à simplicidade e ao serviço desinteressado.

Sobre o silêncio e a solitude

Nossa vida é agitada, barulhenta, cercada de muita gente, com muita informação. No entanto, vivemos mergulhados na solidão, no desconhecimento de nós mesmos, ansiosos, preocupados e estressados. Somos milhões de cristãos, com as mesmas dificuldades relacionais na família, as mesmas enfermidades psicossomáticas e os mesmos desequilíbrios emocionais que os não cristãos. Quanto mais a Igreja cresce, mais fica parecida com a sociedade ao seu redor.

Vamos à igreja e ali o louvor é maravilhoso, o pregador diz que podemos ser vitoriosos e prósperos, os testemunhos relatam milagres extraordinários e todo mundo está tão bem. Tudo isso produz em nós sensações maravilhosas e saímos do templo flutuando. Porém, chegamos em casa e encontramos relacionamentos não resolvidos, contas para pagar, incertezas e tensões. Queremos voltar ao templo todos os dias da semana, para receber doses diárias de ânimo. Tornamo-nos dependentes de dirigentes de louvor, pregadores e cultos bem produzidos.

Essa é uma espiritualidade baseada em eventos e que não trabalha processos, mas busca o mágico e o instantâneo. Os muitos ruídos, a euforia espiritual e o ativismo religioso e secular não penetram no nosso mundo interior, onde permanecemos vazios, ansiosos, preocupados e carentes de atenção e reconhecimento.

De repente, somos surpreendidos por um escândalo que abala nossa visão idealizada da vida cristã e da igreja. Descobrimos, estarrecidos, que líderes e crentes podem ser bem-sucedidos em público, mas, no privado, ter a vida desarrumada, com um discurso dissociado da realidade. *Performances* religiosas sob os holofotes contrastam com a dificuldade de lidar com um caráter ambíguo e pecador.

Vive-se, assim, um evangelho de ofertas e uma falsa sensação de que o crescimento numérico é tudo. Mantém-se o fiel na base da prestação de serviços espirituais: o templo é confortável, tem estacionamento e uma boa escola dominical, bandas e cantores de renome, convertidos famosos. E a concorrência é grande, o que gera uma competição entre as igrejas, cada uma oferecendo os melhores serviços religiosos. Isso cria um fenômeno interessante: basta um pequeno desconforto e o membro arisco muda para a igreja que lhe serve melhor.

O medo de ficarmos sós e ser abandonados nos atemoriza. Então, na igreja, nos cercamos de muitos ruídos, muita gente e muitos estímulos e atividades. Na televisão, os programas de entrevistas e os *reality shows* nos induzem a uma falsa sensação de proximidade e intimidade com gente famosa aparentemente bem resolvida. Na era da informação, os *smartphones* e as redes sociais nos fazem sentir conectados com o mundo todo.

Não sabemos o que são silêncio e solitude. Desconhecemos o aconchego de um tempo e um espaço separados para estarmos sós, sem estímulos, distrações ou alguém para culpar; para estarmos diante de Deus e de nossa realidade no mais profundo da alma; para sermos nós mesmos fora dos discursos, das teorias e dos jargões religiosos; e para estarmos

172 INSPIRATIO

somente com Deus, fora dos papéis que desempenhamos, fazemos e realizamos.

Silêncio e solitude aparecem nas Escrituras como o tempo do deserto. Jesus Cristo, surpreendentemente, com tudo o que tem para realizar, espera até os 30 anos. E quando, finalmente, está pronto para começar seu ministério terreno, o Espírito Santo o leva ao deserto, para quarenta dias de silêncio, solitude e jejum. Moisés, Paulo, Elias e tantos outros homens que Deus usou tiveram essa oportunidade privilegiada de uma experiência no deserto, de silêncio e solitude diante do Senhor.

É no recolhimento e a sós que nos tornamos vulneráveis, ouvimos mais profundamente a voz de Deus em nosso interior, oramos no secreto, como nos ensina Jesus Cristo — longe dos ruídos, das multidões, das torrentes de palavras e de pensamentos. É quando lemos a Bíblia discernindo a voz de Deus, o que nos leva a um encontro vivo com Cristo, que denuncia nossa tentativa de onipotência e autonomia, traz à tona nossa pobreza espiritual e indica o caminho do arrependimento, da transformação, do serviço e da santidade.

O dom das lágrimas

Jesus Cristo nos ensina: "Felizes os que choram, pois serão consolados" (Mt 5.4). Isso significa que existe na vida humana um espaço legítimo, saudável e abençoador para as lágrimas, isto é, para expressar emoções como medo e tristeza.

Se, por um lado, o choro pode ser engolido, o que deprime, ou se expressar de forma desproporcional ao fato que o provocou, o que é manipulação, há em nossa vida lugar para lágrimas reais, que têm a ver com uma causa real. Quando choramos desse modo, acabamos nos sentindo aliviados. A Bíblia afirma que há dois tipos de lágrimas: a provocada pela "tristeza que é da vontade de Deus" ou a que é fruto da "tristeza do mundo", que "resulta em morte" (2Co 7.10). O primeiro tipo é leve e transformador; o segundo é esmagador e depressivo.

Uma espiritualidade alinhada com a cruz redentora leva à percepção profunda de nossa miserável condição de pecadores compulsivos e viciados em pecar. Significa perceber o custo e o tamanho da reparação na face amorosa de Jesus Cristo na cruz do Calvário. A espiritualidade cristã vive essa realidade no coração, e não somente na compreensão intelectual da reta doutrina. Isso quer dizer que a percepção dessa realidade atinge também nossos sentimentos e afetos.

No íntimo de nossa alma contemplamos Cristo, nosso Redentor, e choramos por nossa condição de pecadores. Quem nunca chorou diante da cruz, arrependido pelo seu pecado, tampouco experimentou a alegria indizível de ser acolhido e perdoado por Deus. Em outras palavras, quem nunca derramou lágrimas de saudade e arrependimento como o filho pródigo, tampouco participou da festa do perdão convocada pelo Pai.

Choramos também de compaixão pelos outros diante do nosso Deus. O profeta Jeremias passou por isso, ao fazer contato com sua angústia e chorar pelo povo desviado e sofredor. Eram lágrimas de tristeza, vergonha e compaixão, por ver uma sociedade adoecida e corrompida e por saber que aquele povo estava sob julgamento e condenação de Deus.

Muitos afirmam que o cristão não deveria chorar, pois associam tristeza com pecado. Mas há lugar para lágrimas, tristeza e luto, como quando perdemos alguém querido. Jesus chorou a morte de seu amigo Lázaro. Nosso Deus é um Deus de dores, que conhece a tragédia humana e caminha conosco no escuro vale da morte, trazendo consolo e alívio. Nada que seja verdadeiramente humano é estranho ao nosso Senhor e Salvador.

Podemos viver na presença de Deus nossos sentimentos mais profundos. Oração não é só para pedir, com vistas ao nosso conforto material; é uma conversa pessoal, biográfica. É derramar o coração diante de Deus. Salmodiamos quando estamos alegres e lamentamos quando estamos tristes. Há um livro inteiro de lamentações na Bíblia. Além disso, muitos salmos são lamentos, além de orações dos patriarcas e profetas. Negamos a tristeza e por isso não somos curados. Precisamos expressar nossas tristezas e angústias a fim de sermos consolados e libertos. Lamentos são constatações diante de Deus, sem explicações. Expressamos nossas tristezas diante de Deus para nos despedirmos delas e sermos consolados.

O sofrimento é um mistério. Não podemos explicar como pode um justo sofrer diante de um Deus que é bom e tem tudo sob seu controle. Sabemos, no entanto, que o Deus das Escrituras é pai de Jesus Cristo, o Deus encarnado que sofreu conosco e por nós. Por isso, ele nos compreende e está perto de nós, caminha conosco nas nossas dores e angústias, nos consola e enxuga nossas lágrimas.

O sofrimento

Quando menos esperamos, o sofrimento bate à porta, entra sem pedir licença e instala-se em nossa casa. É uma visita incômoda, inoportuna e dolorosa. A perda de um ente querido, um conflito que gera ruptura na família, uma violência gratuita, um filho que faz escolhas erradas, um diagnóstico de uma enfermidade incurável, um acidente grave, desemprego e falta de dinheiro, uma experiência de traição ou humilhação.

Lamentavelmente, a igreja contemporânea prega, com seu exagerado triunfalismo, que o mal já está vencido e por essa razão o cristão deve viver de forma próspera, vitoriosa e sem sofrimento. Também ensina que quem sofre está em pecado, sob o domínio de Satanás. E, ainda, que o tal ou não crê nem confia em Deus, a ponto de contribuir financeiramente, ou está na igreja errada.

É um "evangelho" de ofertas, que nega a dor e a perda. Esse "evangelho" desconhece que a Igreja de Cristo foi gerada, no primeiro século, com perseguição e sofrimento, e que essa Igreja continua sofrendo em várias regiões do mundo por causa do nome do Senhor.

Diante do sofrimento, perguntamos, perplexos, como pode um justo sofrer nas mãos de um Deus que diz ser bom. O

O SOFRIMENTO   177

sofrimento é um mistério. Sabemos, no entanto, que o Deus das Escrituras é pai de Jesus Cristo, o Deus encarnado que sofreu conosco e por nós. Por isso, ele nos compreende e caminha conosco nas nossas dores e angústias, nos consola e enxuga nossas lágrimas. Um dia nos encontraremos com ele e, como Tomé, tocaremos nas suas cicatrizes, na fronte, no tórax, nas costas, nas mãos e nos pés. Só um Deus ferido pela tragédia humana poderia nos curar e nos salvar.

Acompanhamos a biografia de José, filho de Jacó, e nos compadecemos de todos os seus infortúnios: o ódio dos irmãos, a venda como escravo, a armação da mulher de Potifar, a prisão. Ainda assim, José nunca reclamou ou se rebelou. Após o abandono e a humilhação, ele tornou-se um ministro poderoso no Egito. Quando uma grande fome assolou Israel, seus irmãos foram ao Egito a fim de comprar comida. E é José quem os recebe no palácio real. Ele os tem em suas mãos para julgá-los ou despedi-los de mãos vazias, mas ele chora e se dá a conhecer a eles. Os irmãos temem sua vingança, mas José os perdoa e lhes diz: "não fiquem aflitos ou furiosos uns com os outros por terem me vendido para cá. Foi Deus quem me enviou adiante de vocês para lhes preservar a vida" (Gn 45.5).

No livro de Jó, descobrimos que Satanás diz a Deus que ninguém o ama desinteressadamente, pois o Senhor protege e abençoa materialmente seus filhos, mas, se eles sofrerem, se voltarão contra Deus. O Altíssimo dá, então, permissão para o diabo oprimir Jó, que perde tudo e adoece gravemente. Sua esposa lhe diz: "Amaldiçoe a Deus e morra!" (Jó 2.9). Seus amigos tentam explicar e entender o que está acontecendo. Mas Jó diz:

> Quanto a mim, sei que meu Redentor vive e que um dia, por fim, ele se levantará sobre a terra. E, depois que meu corpo tiver se decomposto, ainda assim, em meu corpo, verei a Deus!

178 INSPIRATIO

Eu o verei por mim mesmo, sim, o verei com meus próprios olhos; meu coração muito anseia por esse dia!

Jó 19.25-27

Em meio às suas dores, sem entender o que está acontecendo, Jó se entrega ao seu Salvador, expressa seu desejo e amor por ele e, cheio de esperança, sabe que o mal vai passar. Depois de tudo, quando o sofrimento cessa, ele conclui: "Antes, eu só te conhecia de ouvir falar; agora, eu te vi com meus próprios olhos" (Jó 42.5).

Como parte da família humana que sofre, descobrimos que não somos os únicos e que o sofrimento é parte integrante da nossa experiência existencial. Sabemos, no entanto, que o sofrimento, a maldade, a violência, a mentira, o ódio e a morte têm prazo de validade, são efêmeros e passageiros. A ressurreição de Jesus Cristo é o registro, no meio da História, de como será o final da História. Ele nos assegura que somos parte de um projeto eterno e que viveremos nossa humanidade de forma plena, sem sofrimento ou morte. Assim, para aqueles que buscam e praticam o bem, a eternidade já começou. Pois o bem é eterno e o mal é passageiro.

O sofrimento nos mobiliza de tal maneira que não percebemos que ele sempre vem acompanhado. É uma companhia discreta, mas presente: a santa, bendita e doce presença do Espírito Santo, também chamado de Consolador.

Angústias noturnas

Jesus convidou Pedro, Tiago e João para orar. O grupo vivera dias tensos, todos estavam cansados e os discípulos dormiam no Getsêmani. Sozinho, na calada da noite, o Senhor diz: "Minha alma está profundamente triste, a ponto de morrer" (Mt 26.38). Como entender essa angústia, a tristeza de Jesus e as gotas de sangue na sua fronte?

Frente a frente com o poder político injusto e perverso e uma presença religiosa distante de Deus, Jesus não está indiferente. E, sabendo que está na iminência de morrer, ele assume completamente sua condição humana, a impotência, a fragilidade, o desamparo, a perplexidade, a tentação de desistir e o desejo de morrer ali mesmo, sem precisar enfrentar o ódio e a violência dos seus algozes.

Naquele momento, ele adquiriu consciência de toda a maldade humana, até mesmo a dos nossos dias. O Mestre sabe dos desmandos de sua Igreja, do drama dos refugiados, da crueldade do Estado Islâmico, da crise política e econômica e da injustiça social no Brasil. Sabe das chacinas, da corrupção, das mentiras, da opressão.

Sabe também do pecado que habita no coração de cada um de nós: nosso ódio, nosso orgulho, nosso egoísmo, nossa omissão de cada dia. E, ali, Jesus se angustia e chora diante da maldade humana e da iminência de sua morte.

Cristo sente empatia com nossas angústias e tragédias, tanto as coletivas como as pessoais. Angustiamo-nos com as notícias dos jornais, mas também com o diagnóstico de um tumor maligno, a perda de um ente querido, uma ruptura familiar, o desemprego e a falta de recursos para honrar os compromissos no final do mês. Ele se identificou com o sofrimento humano e conhece todas as nossas tragédias.

À noite, na escuridão, somos invadidos pelas trevas e choramos sozinhos nossas mazelas, nossos medos, nossa solidão. Essa é uma realidade percebida por aqueles que estão engajados na luta por um mundo melhor, que são sensíveis ao drama humano. Muitos optam pela via da negação: nada veem, nada sentem e, anestesiados pelas drogas legais e ilegais e pelas muitas distrações — como as redes sociais e o consumismo —, tornam-se insensíveis, distantes, omissos, alienados e cínicos.

Naquela noite, Jesus não somente chora, mas assume sobre si todas as injustiças, todas as perversidades da história da humanidade. É quando ele ora: "Meu Pai! Se for possível, afasta de mim este cálice. Contudo, que seja feita a tua vontade, e não a minha" (Mt 26.39). Invadido por uma misteriosa confiança, ele se entrega a Deus, seu Pai, e está pronto para enfrentar seus inimigos, que representam aquilo de pior que o ser humano pode produzir: ódio, traição, abandono, injustiça, mentira, tortura, humilhação. Na sua angústia noturna, Jesus nos indica o caminho a seguir: entregarmo-nos em confiança completa nas mãos do nosso Deus. É ele quem nos consola e nos dá a serena coragem para enfrentar a vida e a morte.

Poucas horas depois, Jesus Cristo morre na cruz. A crucificação não foi fruto de uma trama humana, mas de uma entrega. Em face de toda a maldade humana e angelical, Jesus olha de frente e responde com um grande amor. Com isso, ele quebra o ciclo do mal, pois só um poder maior, o poder do amor, poderia vencer o pecado presente na experiência e na história da humanidade.

Restavam ainda duas noites de angústia, nas quais o corpo de Jesus jazeria numa tumba fria, o que fazia parecer que o mal triunfara sobre o bem. Todas as esperanças pareciam perdidas, os discípulos fugiram com medo e estavam sem projeto nem direção. Mas, na manhã de domingo, Deus dá a resposta final. O mal é efêmero e o bem é eterno, a vida é mais forte que a morte. Jesus ressuscita, e as trevas do pecado e da morte se dissipam ante a luz divina. Só um Deus encarnado e ferido, completamente identificado com a tragédia humana, poderia nos salvar do pecado e da morte.

Vivemos também nossas noites de angústia, mas Jesus nos mostra o caminho a seguir: a entrega e a confiança, que gera em nós esperança e coragem para prosseguir amando e fazendo o bem gratuitamente, inclusive para quem não merece. Sim, passamos por provações, dificuldades, perdas e dores. Sim, temos nossas noites de insônia e angústia. No entanto, conhecemos a promessa: "O choro pode durar toda a noite, mas a alegria vem com o amanhecer" (Sl 30.5). Nossas angústias noturnas terminam com aquele que diz: "Sou a brilhante estrela da manhã" (Ap 22.16).

Como resultado de uma brutal perseguição à Igreja, o apóstolo João é exilado em Patmos. Ali, ele chora e experimenta uma noite escura de perplexidade e angústia. É quando o céu se abre e no trono do Universo ele vê um Cordeiro que foi morto. Naquele momento, João ouve uma multidão proclamar em alta voz: "Louvor e honra, glória e poder pertencem àquele que está sentado no trono e ao Cordeiro para todo o sempre!" (Ap 5.13).

Jesus Cristo venceu o mal e a morte. Por isso nos curvamos reverentemente diante dele e trazemos em nosso coração e em nossos lábios expressões de adoração, gratidão e consagração. Sabendo de antemão que "estas aflições pequenas e momentâneas que agora enfrentamos produzem para nós uma glória que pesa mais que todas as angústias e durará para sempre" (2Co 4.17).

O mal e a morte são efêmeros e têm prazo de validade. O bem a vida são para toda a eternidade.

Uma caminhada silenciosa

O Novo Testamento cita diferentes homens chamados Simão: Simão, chamado Pedro, o discípulo de Jesus (Mt 10.2); Simão, o cananeu, outro discípulo (Mt 10.4); Simão, o irmão de Jesus (Mt 13.55); Simão, o leproso (Mt 26.6); Simão, homem que trabalhava com couro (At 9.43); e Simão, o feiticeiro (At 8.9-24). Com tantos personagens nas Escrituras com esse nome, acabamos por não prestar muita atenção em Simão, o cireneu, mencionado em apenas três versículos.

Quem foi, afinal, Simão, de Cirene, cidade localizada no norte da África, e o que aconteceu com ele de tão importante para ele ser mencionado nos evangelhos? Diz o texto bíblico: "No caminho, encontraram um homem chamado Simão, de Cirene, e os soldados o obrigaram a carregar a cruz" (Mt 27.32); "Um homem chamado Simão, de Cirene, passava ali naquele momento, vindo do campo. Os soldados o obrigaram a carregar a cruz. (Simão era pai de Alexandre e Rufo.)" (Mc 15.21); e "Enquanto levavam Jesus, um homem chamado Simão, de Cirene, vinha do campo. Os soldados o agarraram, puseram a cruz sobre ele e o obrigaram a carregá-la atrás de Jesus" (Lc 23.26).

Simão, de Cirene, tem um único contato com Jesus, curto e discreto, mas intenso. Ele não diz nada e com ele podemos

184 INSPIRATIO

aprender muito! No pátio do palácio de Pilatos, Cristo é condenado à morte diante da multidão, dos dignitários e do contingente de soldados romanos armados. Em seguida, ele é açoitado, recebe uma coroa de espinhos, toma pancadas na cabeça, é vestido com um manto púrpura, é zombado, ultrajado e humilhado. A tradição romana exigia que o próprio condenado carregasse a cruz até o local da execução, e é o que Jesus começa a fazer.

Impossível saber hoje qual seria a distância do pretório até o Gólgota. A tradição e arqueólogos estipulam que seriam cerca de quinhentos metros. Em algum lugar desse trajeto, Simão é obrigado a carregar a cruz de Cristo. No caminho, possivelmente vergado pelo peso do madeiro e debilitado pela tortura, Jesus diminui o passo. Os soldados romanos tentam resolver o problema e apressar a caminhada selecionando um homem no meio da multidão, um judeu que provavelmente estava em Jerusalém para a festa da Páscoa. Ele vinha do campo, por motivos que desconhecemos. Seu nome é Simão, que quer dizer "aquele que ouve ou é ouvido por Deus".

Nós não sabemos o que teria acontecido no breve espaço de tempo em que Simão caminhou em direção ao Gólgota ao lado do Cristo humilhado e ferido. Simão nos é apresentado como alguém que vive essa experiência de intimidade e proximidade com Cristo em silêncio. Parece que não aconteceu nada, mas aconteceu tudo. Certamente, ao longo desse caminho difícil, diante de uma multidão hostil e cercado por experientes soldados armados, Simão viveu uma experiência única sem qualquer paralelo nos evangelhos: ele carregou a cruz de Cristo.

Todo discípulo é convidado a tomar a cruz e seguir Jesus Cristo. Simão viveu literalmente essa graça. Ao caminhar ao lado de Jesus, Simão contempla qual seria o destino de todo ser humano. E ele ajuda nosso Salvador a morrer em nosso lugar. E isso basta para que, na simplicidade, sejamos tocados pelo olhar amoroso daquele que caminha resoluto para a cruz a fim de dar a sua vida pelo perdão dos pecados, pela comunhão eterna com Deus.

Três versículos curtos e lacônicos. Uma pequena e inesperada caminhada. Um momento de intensa intimidade silenciosa com Cristo. Depois, Simão desaparece silenciosamente, como quem se esconde no coração de Deus. Mas a história não termina aí. Não se pode afirmar com toda a certeza, mas gosto de pensar que o Rufo mencionado por Marcos como filho de Simão é o mesmo Rufo referido por Paulo como "quem o Senhor escolheu" (Rm 16.13). Uma possível indicação de que, por meio daquele encontro marcante na via sacra, Simão se tornou um discípulo de Cristo e, consequentemente, também sua família.

Simão esteve com Cristo bem pouco tempo e certamente não esqueceu nunca mais aquele encontro. Por isso, fica o registo desses versículos na Palavra, para que todos nós participemos com Simão daquele momento de revelação e intimidade.

Invocação do nome de Jesus

A Oração de Jesus, ou Oração do Coração, é uma das disciplinas mais importantes da Igreja Oriental (Ortodoxa), ramo do cristianismo formado a partir do cisma entre Constantinopla e Roma, em 1054. Essa é uma disciplina espiritual que grande parte dos reformados desconhece.

A prática dessa oração é uma antiga e venerada tradição, e foi a ocupação constante dos pais do deserto e dos monges que viveram solitários e em comunidade nos monastérios no monte Sinai, no Egito e em Jerusalém — ou seja, em todo o Oriente Médio —, depois em Bizâncio, Monte Atos e, finalmente, na Rússia.

A forma exterior dessa oração é a repetição tão frequente quanto possível do nome de Jesus associado à lição ensinada pela parábola do publicano e do fariseu, em Lucas 18.10-14: "Senhor Jesus Cristo, tem piedade de mim, pecador". A essência dessa oração consiste em dizer essa frase consciente do significado e do sentido de cada palavra e, ao mesmo tempo, entrar em contato com os sentimentos que elas evocam. Essa prece é dita com a razão e com o coração.

Senhor Jesus Cristo, tem piedade de mim, pecador.

A Oração de Jesus conduz à purificação dos pensamentos, à iluminação do homem interior e à experiência plena da presença do Espírito Santo no coração daquele que crê.

Ela começa com a invocação do nome de Jesus, saboreando com o coração sua doçura. Invocar vem do latim *in* ("dentro" ou "no meio"), e *vocare* ("chamar"). É o nome de uma pessoa atenta ao que chama. A invocação do nome de Jesus nos coloca diante dele, na sua terna, doce e amorosa presença.

Senhor Jesus Cristo, tem piedade de mim, pecador.

Ao contrário do que alguns possam argumentar, essa prece é diferente de uma repetição mecânica, ou mesmo da repetição de um mantra para aquietar a alma. Ela é, na realidade, um movimento espiritual transformador, um grito do coração, um fluir como uma fonte de águas vivas, o desfrute silencioso da presença silenciosa do Amado.

Senhor Jesus Cristo, tem piedade de mim, pecador.

O nome de Jesus não é um "abracadabra", tampouco algo mágico ou um fim em si mesmo, mas um nome sagrado que nos coloca na sua presença quando invocado com toda a sinceridade no silêncio do nosso coração. Daí entendemos o mandamento: "Não use o nome do SENHOR, seu Deus, de forma indevida. O SENHOR não deixará impune quem usar o nome dele de forma indevida" (Dt 5.11). Usar o nome de Jesus de forma indevida é verbalizá-lo sem ter consciência de sua sacralidade e da santa presença de Cristo.

Senhor Jesus Cristo, tem piedade de mim, pecador.

Essa oração não é uma técnica, algo que gera resultados graças à engenhosidade, ao empenho e à vontade do ser humano. O nome de Jesus é a revelação plena e definitiva da graça de Deus, do favor imerecido. Portanto, expressa a falência, a nudez, a finitude, a precariedade e a impureza daquele que o chama, fazendo-o tomar consciência desse estado, com contrição, arrependimento e quebrantamento para, então, receber de Cristo, e só dele, o perdão e o dom da vida eterna. Invocar o nome de Jesus sem essa consciência é usar seu nome de forma indevida.

Senhor Jesus Cristo, tem piedade de mim, pecador.

A oração continua com a súplica "tem piedade de mim, pecador". Os antigos místicos diziam que essa consciência da sacralidade do nome e da nossa contrição diante da miserável condição de pecado é que pode nos conduzir à santidade. Paradoxalmente, quanto mais santos nos tornamos, mais nos vemos como pecadores e vivemos quebrantados diante de Cristo e dependentes do Espírito Santo.

Senhor Jesus Cristo, tem piedade de mim, pecador.

Nessa oração, a resposta é glorificar ao Senhor e ter a nossa vida transformada. O entendimento gerado por ela nos leva a melhor apreciar, amar e nos relacionar com a pessoa de Jesus Cristo e nos engaja no combate contra o mal que está em nós: os maus pensamentos, as atitudes destrutivas, os desejos egoístas, o pecado que habita os labirintos escuros do nosso coração.

Senhor Jesus Cristo, tem piedade de mim, pecador.

A Oração de Jesus não propõe uma forma de quietismo ou alienação. O lema de Bento de Núrsia, monge italiano dos séculos 5º e 6º, é *Ora et labora*, isto é, "Ora e trabalha". Orar como uma forma de trabalho e trabalhar como uma forma de oração. É orando e trabalhando que somos transformados, que nos tornamos instrumentos nas mãos de Deus a serviço de seu reino, a fim de contribuir para que este mundo seja melhor, mais justo, pacífico e solidário. É orando e trabalhando que nos tornamos mais obedientes, humildes, fecundos e servis ao próximo.

Senhor Jesus Cristo, tem piedade de mim, pecador.

Essa é uma oração a ser feita no ritmo do coração diversas vezes durante o dia e a noite. É um grito do coração sedento, que soma ao desespero pelo pecado a esperança da salvação. Uma necessidade irresistível e perpétua de invocar o socorro de Jesus em face de nossa impotência e completa dependência dele para viver.

Senhor Jesus Cristo, tem piedade de mim, pecador.

Nunca deixem de orar

Geralmente, fechamos os olhos para orar, franzimos a testa, abaixamos a cabeça e oramos discursivamente. Algumas vezes, nos ajoelhamos; outras, impostamos a voz. Dessa forma, cremos, seria impossível seguir a ordem bíblica de nunca deixar de orar. Fazemos isso quando tomamos consciência da misteriosa presença do Espírito Santo no fundo da nossa alma, nos acompanhando a todo momento.

Nossa vida se desenrola na presença de Deus, não só nossos gestos e nossas ações, mas também nossos pensamentos mais secretos. Assim diz o salmista: "O Senhor conhece os pensamentos de cada um; sabe que nada valem" (Sl 94.11). Isso significa que não estamos sozinhos ou perdidos em nenhuma circunstância de nossa vida. Vivemos toda a nossa existência, desde a concepção no ventre de nossa mãe até o nosso último suspiro, sob o olhar amoroso de Deus, o que revela que somos amados incondicionalmente por aquilo que realmente somos.

De fato, tudo que somos, pensamos e sentimos, tudo que é verdadeiramente humano em nós, é conhecido e acolhido por Deus que, em Jesus Cristo, assumiu toda a nossa humanidade. Sem ter essa consciência, fazemos de nossa prática de oração um apêndice da vida, um discurso desconectado da nossa realidade e do nosso coração. O resultado é que a oração se torna um instrumento destinado a obter de Deus felicidade e conforto e para nos livrar do sofrimento.

Nunca deixar de orar significa a consciência de que estamos constantemente desnudos diante do amoroso olhar divino, de que podemos levar-lhe tudo o que se passa no mais íntimo da nossa alma, sem censura nem subterfúgios. Falamos com alguém que nos ama e que sabe tudo de nós. O pensamento nem sequer chegou à nossa mente e Deus já o conhece.

Essa percepção deixa claro que a prática da oração é um prolongamento da vida. Não há diferenciação entre oração e vida, pois tudo que somos, fazemos e pensamos acontece na presença de Deus. Sabemos que o pecado se mistura aos nossos pensamentos e que não basta não matar ou não adulterar; o simples odiar ou cobiçar já é pecado.

O silêncio, a meditação, a solitude e o recolhimento nos ajudam a olhar para dentro de nós e acompanhar o fluxo de pensamentos que surge do nosso interior. Jesus nos ensina que "do coração vêm maus pensamentos, homicídio, adultério, imoralidade sexual, roubo, mentiras e calúnias" (Mt 15.19). Quando percebemos isso, podemos experimentar uma conversão dos pensamentos, "Levamos cativo todo pensamento rebelde e o ensinamos a obedecer a Cristo" (2Co 10.5). Assim, aprendemos a praticar o "o amor que vem de um coração puro, de uma consciência limpa e de uma fé sincera" (1Tm 1.5).

Na agitação e na correria, não paramos, não fazemos contato com nosso mundo interior e não percebemos o pecado que se mistura aos nossos pensamentos, às nossas emoções e às nossas motivações. A pior coisa que nos pode acontecer é o pecado se travestir de piedade. É quando espiritualizamos a nossa ambição e o nosso orgulho encontra na religião sua realização. Foi o que aconteceu com os fariseus com quem Jesus teve seus embates mais contundentes.

Podemos fazer um caminho contrário, resistindo a orações públicas, destinadas aos outros, e não a Deus; que resultam de produção humana e oratória caprichada, e não de uma experiência do coração, uma realidade vivida. Assim, pedimos ajuda do Senhor, orando: "Examina-me, ó Deus, e conhece meu coração; prova-me e vê meus pensamentos. Mostra-me se há em mim algo que te ofende e conduze-me pelo caminho eterno" (Sl 139.23-24). Desse modo, você se concentrará em "tudo que é verdadeiro, tudo que é nobre, tudo que é correto, tudo que é puro, tudo que é amável e tudo que é admirável [...] excelente e digno de louvor" (Fp 4.8).

Só assim aprenderemos a nunca deixar de orar.

Reaprendendo a orar

Nós viemos de Deus e retornaremos a Deus — este é o destino humano. No fundo do nosso coração existe uma sede que só o Senhor pode verdadeiramente saciar. São muitos os atalhos que nos anestesiam, como o ativismo e o consumismo. Mas existe no coração humano a saudade de um amor verdadeiro, uma busca por transcendência e eternidade e o desejo de um mundo justo e pacífico. É um vazio que só Deus pode preencher.

Vivemos um período de crise e incertezas quanto ao futuro. O mundo perdeu seus valores, invadido pelo materialismo. Muitos se voltam para a religião, buscando alguma forma de espiritualidade. São homens e mulheres que tateiam em busca de Deus, lotando igrejas, consumindo livros religiosos e buscando respostas em novas e antigas religiões. Surgiu um mercado religioso que envolve milhões de fiéis e movimenta muito dinheiro.

As consequências se fazem sentir na igreja evangélica histórica, herdeira da Reforma Protestante. Já não sabemos orar como convém. Só sabemos pedir; nossas orações se resumem a petições sem fim. Não nos lembramos de agradecer, muito menos de confessar nossos pecados.

Para reaprender a orar, devemos começar perguntando qual o sentido da oração. Para muitos, é um ato religioso praticado comunitariamente. Para outros, um meio de ter acesso a Deus a fim de obter benefícios da parte dele que garantam o nosso conforto. Há ainda aqueles que acreditam ser a oração uma catarse emocional. Para nós, cristãos, a oração é uma elevação de nossa alma em direção a Deus.

"O fim principal do homem é glorificar a Deus e desfrutá-lo para sempre", diz o primeiro artigo do Breve Catecismo de Westminster. A mística francesa Madame Guyon escreveu que a experiência da oração possibilita estar com Deus para sempre, em divina união. Teresa de Ávila disse: "Que nada te perturbe, que nada te apavore. Tudo passa, só Deus não muda. A paciência tudo alcança. Quem tem Deus não sente falta de nada, só Deus basta". Sim, é verdade que, quanto mais amamos a Deus, menos necessidades urgentes e circunstanciais teremos.

O que significa para nós buscar Deus na oração? Um Deus vivo e pessoal, que se relaciona, mas ao mesmo tempo é infinito e eterno. Como superar essa distância entre o Criador e o ser criado, entre o eterno e o temporal, entre o infinito e o finito? Como entrar em contato com ele, que não é um igual, mas é o Deus vivo, criador dos céus e da terra, aquele que não pode ser aprisionado por uma definição racional, aquele que todas as palavras não conseguiriam descrever? Como orar àquele que sabe tudo sobre nós?

Aprendemos a orar com Salmos. Nesse livro, Davi e outros salmistas nos conduzem ao centro da oração: o temor, o desejo, o afeto, o medo, o abatimento... toda a realidade humana é abarcada em Salmos.

Nos salmos deparamos com orações permeadas de *temor, desejo e afeto*.

Temor não é medo que afasta, mas reverência e respeito profundos diante daquele que não compreendemos completamente, daquele que se revela, mas continua envolto no

194 Inspiratio

mistério, pois não suportaríamos sua presença plena. Um Deus que pudéssemos enquadrá-lo numa definição lógica racional não seria Deus. O temor é para aqueles que creem sem entender todo o quadro, pois estão extasiados diante do mistério inefável e inescrutável de Deus.

Desejo porque fazemos contato com aquela saudade infinita escondida no nosso coração e lançamos sobre Deus toda a nossa busca existencial e espiritual da mesma forma que o náufrago se agarra à boia. Deus nos criou seres desejosos. No Éden, o desejo original de *ser com Deus* se corrompeu e se tornou desejo de *ser como Deus*, ou, ainda, o desejo de amar se tornou desejo de poder. A conversão é processo de purificação do nosso desejo corrompido até desejarmos e amarmos a Deus acima de todas as coisas.

Afeto porque Deus é amor, é Trindade Santa, Pai, Filho e Espírito Santo intimamente ligados e interpenetrados. É Deus que subsiste em si, amando entre os três e desejando que o amemos e vivamos amorosamente entre nós. Amar a Deus, ao próximo e a si mesmo é o grande e definitivo mandamento. Amamos porque ele nos amou primeiro. O nosso amor é sempre uma pálida resposta ao grande amor com que fomos amados por Deus.

Tudo isso se situa além do racional e do cognitivo. A oração é poesia, é cântico. É feita de metáforas, como alguém que, tendo visitado um país estranho e desconhecido, só pode contar aquilo que viu por meio de comparações.

Desse modo, somos convidados por Deus a orar e, ao fazê-lo, nos unir a ele. É um convite para contar-lhe a realidade da nossa vida, uma conversa poética permeada de temor, desejo e afeto. Sem esperar nada em troca, apenas para celebrar a sua existência e o privilégio de sermos amados, apesar de nossas mazelas e ambivalências.

As bem-aventuranças

A primeira parte do Sermão do Monte é um dos mais práticos e profundos ensinos de Jesus, tornando-se, portanto, um fundamento no qual podemos nos basear para viver em plenitude nossa experiência cristã. Essa exposição apresenta valores e virtudes que põem em xeque nossa visão de mundo, invertendo e confundindo o pensamento do ser humano, que quer levar vantagem em tudo e que acha que a boa vida se caracteriza exatamente em viver o contrário desses ensinamentos.

Jesus afirma no Sermão do Monte que a vida feliz, ou abençoada, tem oito características. Quando praticamos estas virtudes essenciais, na dependência do Espírito Santo, podemos dizer que estamos de fato vivendo segundo a vontade de Deus. Consequentemente, experimentaremos profunda realização e alegria pessoais.

> Felizes os pobres de espírito, pois o reino dos céus lhes pertence.
> Felizes os que choram, pois serão consolados.
> Felizes os humildes, pois herdarão a terra.
> Felizes os que têm fome e sede de justiça, pois serão saciados.
> Felizes os misericordiosos, pois serão tratados com misericórdia.
> Felizes os que têm coração puro, pois verão a Deus.

196   INSPIRATIO

Felizes os que promovem a paz, pois serão chamados filhos de Deus.

Felizes os perseguidos por causa da justiça, pois o reino dos céus lhes pertence.

Felizes são vocês quando, por minha causa, sofrerem zombaria e perseguição, e quando outros, mentindo, disserem todo tipo de maldade a seu respeito. Alegrem-se e exultem, porque uma grande recompensa os espera no céu. E lembrem-se de que os antigos profetas foram perseguidos da mesma forma.

Mateus 5.3-12

Vamos analisar quem são aqueles que praticam tais virtudes.

Os pobres de espírito

Uma metáfora que Jesus utiliza, o pobre de espírito é o pecador que depende da graça e da misericórdia de Deus para viver, tal qual o mendicante maltrapilho que vive na penúria numa terra devastada e depende da esmola diária para sobreviver. Pobres de espírito são as pessoas que não se apresentam como donas da verdade. Não são possessivas, mas, sim, flexíveis. Reconhecem que só sabem das coisas parcialmente, por isso estão abertas a aprender. Compreendem que não podem ser donas de tudo, por isso compartilham seu tempo e seus dons e recursos, vivendo de forma descomplicada e com simplicidade. Sabem que têm limitações e por isso se voltam para o Senhor na miséria de sua angústia, buscando nele o refúgio e o consolo para a sua alma. Os pobres de espírito são reconciliados com sua fraqueza e não precisam provar nada a ninguém.

Os que choram

Os que choram são aqueles que entram em contato com suas emoções. Eles têm capacidade de sentir e se emocionar. Não perderam a sensibilidade em face da dor e do drama humano.

Os tais sentem o outro com o coração e se solidarizam com os que estão à sua volta, mas, principalmente, choram por sua própria maldade e a lamentam. Suas lágrimas não são de remorso ou autocomiseração, mas de arrependimento e quebrantamento diante da cruz, que conduz à alegria do perdão e do acolhimento de Deus. E, quando deparam com alguém que chora, conseguem ser empáticos, se associam à tristeza do outro e choram com os que choram.

Os humildes

Homens e mulheres que têm autocontrole não se exaltam, não gritam, não batem o pé, não fazem cara feia e ameaçadora quando contrariados. Eles praticam uma disciplina que não é forçada, externa, legalista, mas espontânea, leve, do coração. Humildes são aqueles que amansaram a fera dentro deles e, assim, abrem mão do poder e do controle a fim de amar e servir. Essas pessoas têm uma linguagem branda e apaziguadora e não usam a força para alcançar seus objetivos. Sabem que não donos da verdade e estão abertos a aprender. Compreendem que têm limitações e por essa razão voltam-se para o Senhor no dia da angústia e buscam nele consolo e refúgio. Quando honrados, não se ufanam, mas são gratos, pois sabem que não são merecedores e que todo bem vem de Deus.

Os que têm fome e sede de justiça

Os que têm fome e sede de justiça são aqueles que possuem uma visão clara da dignidade que reveste todo homem e que sofrem quando essa dignidade é ferida pela injustiça, pela opressão e pela maldade humana. Eles vivem em retidão, integridade e honestidade. A fome e a sede são sentimentos essenciais e, embora plenamente saciados, voltam a sentir a necessidade depois de algum tempo. Uma contínua busca de justiça nos leva a tratar com dignidade o cônjuge, o filho, o patrão, o empregado; enfim, o próximo. Os que têm fome e sede de justiça são aqueles que sonham com um mundo melhor, mais justo, e trabalham em favor disso, inconformados com a impunidade. Os tais sinalizam por meio de sua vida e da palavra profética a denúncia do mal e o louvor do bem.

Os misericordiosos

Ser misericordioso significa ser solidário com o que sofre e lidar com amor e paciência com os erros, as fraquezas e os defeitos do semelhante. Esses são aqueles que entram em contato com a dor do outro, sentindo-a como se fosse sua. Misericordiosos se tornam solidários e têm capacidade de sentir, se comover e padecer em face do sofrimento do outro, buscando de forma prática aliviar a dor do próximo. Ao olhar a tragédia e o drama humanos, têm o coração dilacerado e, movidos por Deus, buscam consolar e aliviar as dores daqueles que padecem. São misericordiosos consigo mesmos, pois sabem que Deus pode perdoá-los e, por essa razão, também se perdoam e não vivem na culpa e no remorso

Os que têm coração puro

Os que têm coração puro são aqueles cuja vida é transparente e livre de esquemas, armações, subterfúgios, enganações, mentiras, enrolações, maquinações e manipulações. São homens e mulheres que, onde quer que estejam, podem elevar seus olhos, ver Deus e ser vistos por ele. Eles não entram em jogos de poder, falsidades, hipocrisias, negociatas e bajulações e vivem com clareza a realidade de sua vida. Por essa razão, podem olhar nos olhos o cônjuge, os filhos, o empregado e o patrão, pois não têm nada a esconder. Seus pensamentos, suas motivações e seu comportamento são puros, e não vivem uma vida dupla, com agendas secretas espúrias.

Os que promovem a paz

Os que promovem a paz são aqueles que bendizem, isto é, falam bem, afirmam, reconhecem os outros, em vez de alimentar intrigas e inimizades. Significa encarar os conflitos interpessoais na ótica do perdão e da reconciliação, reconhecendo os próprios erros e pedindo perdão, restaurando relacionamentos rompidos. Pacificar significa, também, não alimentar mal-entendidos, fofocas e ressentimentos, tampouco criar caso. Os que promovem a paz buscam reconciliação sempre que possível, sem engolir tudo passivamente, mas sendo assertivos e amorosos com os clamores legítimos de injustiças cometidas contra a sua pessoa, concedendo o perdão e prosseguindo com a vida.

Os perseguidos por causa da justiça

Os perseguidos por causa da justiça são aqueles que manifestam sua fé diante de um mundo caído e assumem as consequências de ser luz num mundo de trevas. Eles não vivem em guetos, escondidos, mas tornam pública a sua lealdade a Jesus Cristo. Os tais sabem que a breve e momentânea tribulação e as perdas neste mundo não se comparam com o eterno peso de glória e o galardão da eternidade, por isso compreendem que o sofrimento oriundo da perseguição não é em vão. Eles veem o conflito como bem-aventurança: são injuriados, caluniados e perseguidos por causa da justiça, mas permanecem felizes. Não fazem média com escarnecedores e pecadores, mas assumem a inevitabilidade do conflito entre dois sistemas irreconciliáveis. Os perseguidos por causa da justiça serão contados como amigos de profetas e de santos, e não como cúmplices de malfeitores e corruptos.

Se não encontramos em nós uma ou mais de uma dessas virtudes bem-aventuradas, resta-nos orar: "Pai amado, tem misericórdia de mim e ajuda-me com teu Espírito Santo a desenvolver e transformar meu caráter. Em nome de Cristo. Amém".

A criança em nós

Há muito a aprender com uma criança, principalmente se levarmos em consideração a advertência de Jesus Cristo: "Eu lhes digo a verdade: quem não receber o reino de Deus como uma criança de modo algum entrará nele" (Lc 18.17). Quando Emílio, meu neto, tinha 2 anos, eu e minha esposa, Isabelle, estivemos com ele em Paris durante três semanas. Enquanto seus pais trabalhavam, eu e Isabelle cuidávamos dele.

Em alguns dias, saíamos, eu e ele, em direção a um lindo parque que fica a três quarteirões de distância da casa de seus pais. Ali há um lago e um parquinho com gangorra, escorrega, banco de areia e outras crianças. Tudo muito bem cuidado, com extensos gramados e lindas árvores. Na primeira vez que fomos, eu o coloquei sentado em um carrinho e saí, apressado, em direção ao parque. Em poucos minutos, estávamos jogando bola e nos divertindo. Logo, porém, comecei a olhar o relógio, achando que já estava na hora de voltar.

Foi quando parei e pensei: "O que impede Emílio de andar até chegar em casa?". Assim, retornamos caminhando. Eu confesso: não é fácil aprender a andar no passo de uma criança de 2 anos. Antes do primeiro quarteirão, o coloquei de volta no carrinho e acelerei o passo para chegar logo. Comecei a me perguntar: "Por que ajo assim? Estou de férias, é verão em Paris e tenho tempo; logo, por que a pressa de chegar e de ir embora?".

Naquele momento, percebi que, na minha vida, a pressa de chegar rápido é uma constante. E, quando chego, já estou impaciente para ir embora. Confesso que também costumo agir assim nos meus relacionamentos. Ao me dar conta dessa realidade, tomei a decisão crucial de sempre caminhar com Emílio, deixando o carrinho de lado. O percurso que faríamos em dez minutos no carrinho ou no colo passou a levar meia hora ou mais. Com isso, descobri que degraus são ótimos para brincar. A gente sobe e depois pula, com os pés juntos. Paramos algumas vezes para pular, mas também para explorar algumas entradas de casas e prédios e para descobrir flores e plantas que até então eram invisíveis aos meus olhos. Passei a perceber que tão importante quanto chegar é andar sem pressa e desfrutar do caminho.

Compreendi o fascínio de ver passar um caminhão betoneira, à vista do qual Emílio começava a gritar e a apontar, dizendo: "Trator! Trator! Trator!", palavra que ele aprendeu com seus brinquedos e que naquele momento se tornava coisa real, de verdade, tamanho gigante, daí seu espanto. Eu respondi: "Não, é um caminhão". Ele me olhou, desconsolado, guardou silêncio e repetiu, agora mais sério: "Não, trator. Trator". Eu lhe disse: "Sim, trator, um trator-caminhão". Emílio respirou aliviado e olhou para a frente, como se dissesse: "Bem, agora que estamos de acordo, podemos prosseguir". Como disse Beto Guedes na canção *Sol de primavera*, "A lição sabemos de cor. Só nos resta aprender". Sim, não precisamos concordar com tudo para prosseguir no caminho com nosso próximo.

Ao atravessar uma rua movimentada, fui tentado a pegar o Emílio no colo, mas esperei um pouco o fluxo acalmar e, assim, atravessamos calmamente a rua, de mãos dadas. Do outro lado, pensei que, nas nossas travessias e transições mais difíceis, Deus nos estende a mão. Resta-nos confiar e segui-lo.

Certa vez, a caminho do parque, deparamos com um homem e seu cão, um pastor-alemão. Emílio parou, arregalou os olhos, puxou minha mão e, apontando para o animal, disse: "Au-au! Au-au!". Eu respondi: "Sim, é um *au-au*". Apreensivo, ele deu um passo para trás, agarrou minha perna, protegeu seu corpo atrás de mim e acompanhou a cena, cabecinha para fora, olhando fixo para o cachorro, que passou impassível a cerca de um metro de nós. Emílio deu um suspiro de alívio, sorriu, se posicionou ao meu lado e estendeu a mão. O perigo passou, podíamos prosseguir. Uma lágrima surgiu no canto do meu olho. Dei-me conta de quantas vezes eu também me refugiei no Senhor, e me lembrei do salmo que diz: "Deus é nosso refúgio e nossa força, sempre pronto a nos socorrer em tempos de aflição" (Sl 46.1).

Seguimos nossa caminhada e chegamos ao parque. Eu me sentei por um instante e observei Emílio fazer contato, com muita facilidade, com outras crianças. Senti a brisa acariciar meu rosto, um vento suave que soprava naquele fim de tarde. A vida se mostrava plena, e eu estava feliz como só uma criança sabe ser.

Foram muitos os aprendizados ao longo da minha vida, por meio da Palavra, de mestres, livros e experiências. Naquele dia, eu estava aprendendo com uma criança e, ao penetrar em seu mundo, senti uma alegre sensação de leveza e simplicidade. A leveza e a simplicidade da graça de Deus.

Quero envelhecer com o coração de um sábio e com o olhar de um menino.

Só a graça é suficiente

Só a graça é suficiente para viver sem culpa!
E quando ela surge, a verdadeira, a graça é suficiente.

Sim, há vozes externas que me acusam;
sim, há vozes internas que me paralisam, mas maior é a graça.
Assim, posso recomeçar, outra vez, e uma vez mais,
quantas forem necessárias, sem culpa, na alegria de viver
e de servir na terra o Deus dos céus.

Mesmo gestos pequenos, despercebidos,
como oferecer um copo d'água a quem tem sede
quando permeados pelos afetos e pelo respeito têm eco na
eternidade.

A graça é suficiente para me sentir amado e perdoado
e, assim, amar e perdoar, uma vez mais e quantas forem necessárias.
Sim, a graça é suficiente.

E prosseguir, sem culpa,
servindo e dependendo de nosso bondoso Senhor,
cujo fardo é leve e cujo jugo é suave.

Assim, deposito a seus pés
meus medos, minha culpa, minha inadequação,
que, por mais tratados que sejam, não desaparecem,
tampouco tiram meu desejo de viver e amar.

Vivo, dentro de mim, uma luta sem tréguas,
quero fazer o bem, mas encontro no meu coração outra força
que me leva a fazer não o bem que eu quero, mas o mal que
eu evito.
Nesse dilema desfaleço de aflição; como poderei me livrar
dessa sina?
Obrigado, Senhor, pois não há condenação para os que estão
em Cristo Jesus.

Prossigo sabendo que esta vida é finita, que o mundo é mau
e inseguro,
mas, ainda assim, cheio de beleza e de gente boa que faz o
bem.
E, no meio do caos e da tragédia, surgem os sinais de um
reino eterno,
aqui e ali sinais de que na cruz o pecador foi perdoado e é
nova criatura,
e que, quando Cristo ressurgiu, a vida e o amor triunfaram
sobre a morte e o mal.

Só a graça é suficiente para andar perto dele, o Cordeiro Santo,
com o coração quebrantado e desejoso do mundo vindouro,
e, enquanto isso, continuar sempre aprendendo a amar sem
nunca desistir.

Só a graça é suficiente.
Para, apesar de tudo, me deixar leve e solto, sem culpa,
vivendo as pequenas alegrias e as pequenas tristezas do dia a dia,

cheio de fé, esperança e amor, até a próxima crise,
e recomeçar outra vez, uma vez mais, e quantas forem necessárias.

Quero simplesmente viver na orientação das Escrituras
e na dependência do Espírito Santo.
E sair por aí, fazendo o bem,
espalhando a fé, a esperança e o amor,
e vivendo a simplicidade do gesto cotidiano.

E servir o Senhor, enquanto eu viver
no aprendizado contínuo de repartir com aqueles que têm menos,
e assim compreender que é dando que se recebe, como disse o Senhor.

Sem graça é só desgraça.
Só a graça é suficiente para uma vida graciosa.
Graça preciosa e custosa graça.
E isso me basta.

E, acima de tudo, andar com ele sempre,
seja na festa de Caná, seja na angústia do Getsêmani.
A ti tudo entrego, Senhor, minha vida e minha morte.
Sou teu!
Só a graça é suficiente!

Sobre o autor

Osmar Ludovico pastoreou, nos últimos trinta anos, as Comunidades de Jesus em São Paulo, Rio de Janeiro e Curitiba. Estudou no seminário Palavra da Vida, em Atibaia, e participou de cursos com John Stott, na Inglaterra, e com Hans Bürki, na Suíça. Atualmente dirige cursos de espiritualidade, revisão de vida e seminários para casais, pastores e missionários no Brasil e no exterior. É casado com Isabelle e pai de Priscila e Jonathan.

Compartilhe suas impressões de leitura escrevendo para:
opiniao-do-leitor@mundocristao.com.br
Acesse nosso *site*: www.mundocristao.com.br

Equipe MC:	Maurício Zágari (editor)
	Heda Lopes
	Natália Custódio
Diagramação:	Triall Editorial Ltda.
Revisão:	Josemar de Souza Pinto
Gráfica:	Imprensa da Fé
Fonte:	Adobe Garamond Pró
Papel:	Chambril Avena 70 g/m² (miolo)
	Cartão 250 g/m² (capa)